普通高等教育"十一五"国家级规划教材

Boya Chinese

Intermediate

Second Edition | 第二版

II

博雅汉语·中级冲刺篇

李晓琪　主编

张明莹　编著

北京大学出版社
PEKING UNIVERSITY PRESS

图书在版编目 (CIP) 数据

博雅汉语 . 中级冲刺篇 . 2/ 李晓琪主编；张明莹编著 . —2 版 . —北京：北京大学
出版社，2015.1
（北大版长期进修汉语教材）
ISBN 978-7-301-25237-6

Ⅰ . ①博… Ⅱ . ①李… ②张… Ⅲ . ①汉语—对外汉语教学—教材 Ⅳ . ① H195.4

中国版本图书馆 CIP 数据核字 (2014) 第 292130 号

书　　名	博雅汉语·中级冲刺篇 II（第二版）
著作责任者	李晓琪 主编　张明莹 编著
责任编辑	刘　正
标准书号	ISBN 978-7-301-25237-6/H·3621
出版发行	北京大学出版社
地　　址	北京市海淀区成府路 205 号　100871
网　　址	http://www.pup.cn　　新浪微博：@ 北京大学出版社
电子信箱	zpup@ pup.cn
电　　话	邮购部 62752015　发行部 62750672　编辑部 62753334
印 刷 者	北京大学印刷厂
经 销 者	新华书店
	889 毫米 ×1194 毫米　大 16 开本　14 印张　297 千字
	2006 年 1 月第 1 版
	2015 年 1 月第 2 版　2018 年 11 月第 5 次印刷
定　　价	63.00 元

第二版前言

2004 年，《博雅汉语》系列教材的第一个级别——《初级起步篇》在北京大学出版社问世，之后其余三个级别《准中级加速篇》《中级冲刺篇》和《高级飞翔篇》也陆续出版。八年来，《博雅汉语》一路走来，得到了同行比较广泛的认同，同时也感受到了各方使用者的关心和爱护。为使《博雅汉语》更上一层楼，更加符合时代对汉语教材的需求，也为了更充分更全面地为使用者提供方便，《博雅汉语》编写组全体同仁在北京大学出版社的提议下，2012 年对该套教材进行了全面修订，主要体现在：

首先，作为系列教材，《博雅汉语》更加注意四个级别的分段与衔接，使之更具内在逻辑性。为此，编写者对每册书的选文与排序，生词的多寡选择，语言点的确定和解释，以及练习设置的增减都进行了全局的调整，使得四个级别的九册教材既具有明显的阶梯性，由浅入深，循序渐进，又展现出从入门到高级的整体性，翔实有序，科学实用。

其次，本次修订为每册教材都配上了教师手册或使用手册，《初级起步篇》还配有学生练习册，目的是为使用者提供最大的方便。在使用手册中，每课的开篇就列出本课的教学目标和要求，使教师和学生都做到心中有数。其他内容主要包括：教学环节安排、教学步骤提示、生词讲解和扩展学习、语言点讲解和练习、围绕本课话题的综合练习题目、文化背景介绍，以及测试题和练习参考答案等。根据需要，《初级起步篇》中还有汉字知识的介绍。这样安排的目的，是希望既有助于教学经验丰富的教师进一步扩大视野，为他们提供更多参考，又能帮助初次使用本教材的教师从容地走进课堂，较为轻松顺利地完成教学任务。

再次，每个阶段的教材，根据需要，在修订方面各有侧重。

《初级起步篇》：对语音教学的呈现和练习形式做了调整和补充，强化发音训练；增加汉字练习，以提高汉字书写及组词能力；语言点的注释进行了调整和补充，力求更为清晰有序；个别课文的顺序和内容做了微调，以增加生词的重现率；英文翻译做了全面校订；最大的修订是练习部分，除了增减完善原有练习题外，还将课堂用练习和课后复习分开，增加了学生练习册。

《准中级加速篇》：单元热身活动进行了调整，增强了可操作性；生词表中的英文翻译除了针对本课所出义项外，增加了部分常用义项的翻译；生词表后设置了"用刚学过的词语回答下面的问题"的练习，便于学生者进行活用和巩固；语言点的解释根据学生常出现的问题增加了注意事项；课文和语言点练习进行了调整，以更加方便教学。

《中级冲刺篇》：替换并重新调整了部分主副课文，使内容更具趣味性，词汇量的递增也更具科学性；增加了"词语辨析"栏目，对生词中出现的近义词进行精到的讲解，以方便教师和学习者；调整了部分语言点，使中高级语法项目的容量更加合理；加强了语段练习力度，增加了相应的练习题，使中高级语段练习更具可操作性。

《高级飞翔篇》：生词改为旁注，以加快学习者的阅读速度，也更加方便学习者查阅；在原有的"词语辨析"栏目下，设置"牛刀小试"和"答疑解惑"两个板块，相信可以更加有效地激发起学习者的内在学习动力；在综合练习中，增加了词语扩展内容，同时对关于课文的问题和扩展性思考题进行了重新组合，使练习安排的逻辑更加清晰。

最后，在教材的排版和装帧方面，出版社投入了大量精力，倾注了不少心血。封面重新设计，使之更具时代特色；图片或重画，或修改，为教材锦上添花；教材的色彩和字号也都设计得恰到好处，为使用者展现出全新的面貌。

我们衷心地希望广大同仁都继续使用《博雅汉语》第二版，并与我们建立起密切的联系，希望在我们的共同努力下，打造出一套具有时代特色的优秀教材。

在《博雅汉语》第二版即将出版之际，作为主编，我衷心感谢北京大学对外汉语教育学院的八位作者。你们在对外汉语教学战线都已经辛勤耕耘了将近二十年，是你们的经验和智慧成就了本套教材，是你们的心血和汗水浇灌着《博雅汉语》茁壮成长，谢谢你们！我也要感谢为本次改版提出宝贵意见的各位同仁，为本次修订提供了各方面的建设性思路，你们的意见代表着一线教师的心声，本次改版也融入了你们的智慧。我还要谢谢北京大学出版社汉语编辑室，谢谢你们选定《博雅汉语》进行改版，感谢你们在这么短的时间内完成《博雅汉语》第二版的编辑和出版！

李晓琪

2012 年 5 月

第一版前言

语言是人类交流信息、沟通思想最直接的工具，是人们进行交往最便捷的桥梁。随着中国经济、社会的蓬勃发展，世界上学习汉语的人越来越多，对各类优秀汉语教材的需求也越来越迫切。为了满足各界人士对汉语教材的需求，北京大学一批长期从事对外汉语教学的优秀教师在多年积累的经验之上，以第二语言学习理论为指导，编写了这套新世纪汉语精品教材。

语言是工具，语言是桥梁，但语言更是人类文明发展的结晶。语言把社会发展的成果一一固化在自己的系统里。因此，语言不仅是文化的承载者，语言自身就是一种重要的文化。汉语，走过自己的漫长道路，更具有其独特深厚的文化积淀，她博大、她典雅，是人类最优秀的文化之一。正是基于这种认识，我们将本套教材定名《博雅汉语》。

《博雅汉语》共分四个级别——初级、准中级、中级和高级。掌握一种语言，从开始学习到自由动用，要经历一个过程。我们把这一过程分解为起步——加速——冲刺——飞翔四个阶段，并把四个阶段的教材分别定名为《起步篇》（I、II）、《加速篇》（I、II）、《冲刺篇》（I、II）和《飞翔篇》（I、II、III）。全套书共九本，既适用于本科的四个年级，也适用于处于不同阶段的长、短期汉语进修生。这是一套思路新、视野广，实用、好用的新汉语系列教材。我们期望学习者能够顺利地一步一步走过去，学完本套教材以后，可以实现在汉语文化的广阔天空中自由飞翔的目标。

第二语言的学习，在不同阶段有不同的学习目标和特点。《博雅汉语》四个阶段的编写既遵循汉语教材的一般性编写原则，也充分考虑到各阶段的特点，力求较好地体现各自的特色和目标。

起步篇

运用结构、情景、功能理论，以结构为纲，寓结构、功能于情景之中，重在学好语言基础知识，为"飞翔"做扎实的语言知识准备。

加速篇

运用功能、情景、结构理论，以功能为纲，重在训练学习者在各种不同情景中的语言交际能力，为"飞翔"做比较充分的语言功能积累。

冲刺篇

以话题理论为原则，为已经基本掌握了基础语言知识和交际功能的学习者提供经过精心选择的人类共同话题和反映中国传统与现实的话题，目的是在新的层次上加强对学习者运用特殊句型、常用词语和成段表达能力的培养，推动学习者自觉地进入"飞翔"

阶段。

飞翔篇

以语篇理论为原则，以内容深刻、语言优美的原文为范文，重在体现人文精神、突出人类共通文化，展现汉语篇章表达的丰富性和多样性，让学习者凭借本阶段的学习，最终能在汉语的天空中自由飞翔。

为实现上述目的，《博雅汉语》的编写者对四个阶段的每一具体环节都统筹考虑，合理设计。各阶段生词阶梯大约为1000、3000、5000和10000，前三阶段的语言点分别为基本覆盖甲级，涉及乙级——完成乙级，涉及丙级——完成丙级，兼顾丁级。飞翔篇的语言点已经超出了现有语法大纲的范畴。各阶段课文的长度也呈现递进原则：600字以内、1000字以内、1500~1800字、2000~2500字不等。学习完《博雅汉语》的四个不同阶段后，学习者的汉语水平可以分别达到HSK的3级、6级、8级和11级。此外，全套教材还配有教师用书，为选用这套教材的教师最大可能地提供方便。

综观全套教材，有如下特点：

针对性：使用对象明确，不同阶段采取各具特点的编写理念。

趣味性：内容丰富，贴近学生生活，立足中国社会，放眼世界，突出人类共通文化；练习形式多样，版面活泼，色彩协调美观。

系统性：词汇、语言点、语篇内容及练习形式体现比较强的系统性，与HSK协调配套。

科学性：课文语料自然、严谨；语言点解释科学、简明；内容编排循序渐进；词语、句型注重重现率。

独创性：本套教材充分考虑汉语自身的特点，充分体现学生的学习心理与语言认知特点，充分吸收现在外语教材的编写经验，力求有所创新。

我们希望《博雅汉语》能够使每个准备学习汉语的学生都对汉语产生浓厚的兴趣，使每个已经开始学习汉语的学生都感到汉语并不难学。学习汉语实际上是一种轻松愉快的体验，只要付出，就可以快捷地掌握通往中国文化宝库的金钥匙。我们也希望从事对外汉语教学的教师都愿意使用《博雅汉语》，并与我们建立起密切的联系，通过我们的共同努力，使这套教材日臻完善。

我们祝愿所有使用这套教材的汉语学习者都能取得成功，在汉语的天地自由飞翔！

最后，我们还要特别感谢北京大学出版社的各位编辑，谢谢他们的积极支持和辛勤劳动，谢谢他们为本套教材的出版所付出的心血和汗水！

李晓琪

2004年6月于勺园

lixiaoqi@pku.edu.cn

编写说明

编写目的

本书是《博雅汉语》系列教材中级部分的第二本，适用于已经进入中级阶段，向高级阶段冲刺的汉语学习者。编写者希望达到以下几个目的：

1. 选择深入反映中国传统与现实的话题，典雅规范的语言材料，供学习者理解、思索、模仿、评论。

2. 提高词语教学所占的比重。本教材在确定词语教学内容时参考了多部等级标准大纲，安排了大量的词语练习。在副课文的选择上力求与主课文在话题上有一定的关联，以便重现学过的生词。学习者在完成本教材的学习后，在词汇量方面应该有一个较大的飞跃。

3. 进入中级阶段的学生对汉语语法的基本框架已经有了大致的把握，本教材将语法教学的重点放在虚词和句型方面，尤其注重书面语表达方式的训练。

4. 加强语篇教学的分量。本教材安排了大量语篇方面的练习，引导学生将词语组织成句子，再将句子组织成段落、篇章。

5. 学习者在精读本教材提供的语言材料的同时，可接触并理解其中涉及的文化内容，从而了解中国人独特的思维方式和语言表达方式。

6. 对于自学者来说，本教材也力求提供最大的方便，详尽的注释、丰富的例句、大量的练习都将帮助自学者扎实地完成中阶段的学习。

教材特点

本书在编写理论和体例方面，与《博雅汉语中级·冲刺篇I》基本一致，采用话题理论进行编写，同时注意到词语（包括成语、常用语、固定说法等）、语言点、功能项目和文化因素的有机结合。

本教材在编写上有以下特点：

1. 安排的话题涉及人生、励志、人情、社会、风俗、自然、人物等多方面多角度，注重话题的通用性和开放性，力求视野开阔，讨论深入，引起不同国家、种族、年龄、经历的学习者的兴趣和共鸣，使学习者在模仿、理解的同时，有充分的表达、评论的空间。

2. 词语教学历来为中级阶段的教学重点之一。本教材中词语教学所占的比重相当大，对于每课所展示的词语，包括成语、常用语、固定说法等，都提供详尽的中文注释。对于中文注释比较深奥，学习者理解起来有一定难度的词语，还提供了英文注释。学习者通过学习，可以试着摆脱对母语的依赖，一步步达到用中文学习中文的境界。本教材对于所展示的绝大部分词语都提供了丰富的例子，包括词组搭配和句子，使学习者通过例子体会词语的用法。在确定词语教学的内容时，我们参考了多部等级标准大纲，这就减少了词语教学的随意性。此外，教材中还安排了大量的词语练习，帮助学习者强化所学的词语。

　　3.语段教学同样是中级阶段的教学重点。本教材在每课的"综合练习"中，安排了专门的语段练习，"副课文"练习中语段练习也占很大比重，力求使学习者逐步学习组织语段篇章的方法，学习语篇衔接的手段，从而能够用中文表达较为抽象的内容，叙述较为深刻的话题。

　　4.本教材每一课的编排都考虑到实际的教学环节，分为"准备""课文""词语""词语练习""语言点""语言点练习""综合练习""副课文""副课文练习"等部分，每课分都针对不同的教学目的，从而使每一课内容丰富、安排紧凑。

　　使用方法

　　根据学习者的水平，编写者建议每课用10—12学时完成，有些课文篇幅较长，可以适当增加学习时间。下面简要地就每一个教学环节提出编写者的建议：

　　1.预习

　　本教材的"准备"部分是为了帮助学习者有效地预习而安排的，主要涉及课文中的一些客观内容。教师可以要求学习者预习课文，能够简要回答"准备"部分的问题即可。通过预习，学习者可对课文内容、生词有初步的了解。

　　2.讲解生词、语言点和课文

　　本教材生词量比较大，可以分段讲解。对于有多个义项的生词，注重课文中出现的义项，适当扩展。在课堂教学中，教师要帮助学习者理解中文注释、词组搭配和例句，对于其中涉及的文化内容适当讲解。"词语练习"最好安排学习者在课堂上完成。

　　精读课文的过程中可以对词语进行复习回顾，对课文的内容要求学习者在理解的基础上复述，鼓励学习者适当加入自己的表述和观点，减轻学习者对机械记忆的抵触情绪。

　　语言点的讲解可以安排在讲解课文的过程中。"语言点练习"最好作为课后作业，使学习者有充分的时间理解消化语言点内容，也给教师充分的时间纠正学习者的错误。

　　3.综合练习和副课文

　　本教材的"综合练习"部分适合在学习生词、语言点，精读课后之后进行。"综合练习"主要包括模仿造句、词语练习和语段表达几个方面，帮助学习者在更高的层次上复习巩固每一课学习的课文、词语和表达手段，其中的语段表达部分最好安排学习者课后书面完成，以便学习者有充分的时间思考内容、组织段落。

副课文的话题一般与主课文有某些关联，在词语上也有些重现。建议教师充分利用副课文的内容，扩大学习者的词汇量，培养学习者的阅读能力和表达能力。副课文练习内容较多，教师可以根据实际情况取舍。

4. 课堂讨论

中级阶段应该鼓励学习者主动参与教学过程，建议每课安排一次讨论，让学习者根据各自的理解和体会对主课文和副课文的内容发表意见和评论。教师作为讨论的组织者，应引导学习者使用学过的生词、语言点和表达方式。讨论之后，最好让学习者将讨论的内容整理一下，写成书面作业。

本书第一版出版后一直在北京大学对外汉语教育学院的中级班使用，以上是编写者根据实际使用的情况对各个教学环节提出的一些建议。这次在对本教材的修订过程中，编写者力求保持教材原有的风格和特色，并根据以往使用的情况和教师们的反馈意见，对部分篇目适当删减了长度，降低了难度，对生词数量也进行了调整。编写者希望修订后的教材更加符合中级阶段教学的实际情况。教师可以根据各自的教学经验和实际情况，更有创造性地使用本教材。在教材使用过程中，如果发现教材编写上有何问题，欢迎批评指正。

张明莹

2014年4月于北京大学

zhangmingying@pku.edu.cn

目 录

1 中国公学十八年级毕业赠言

准备

　　这篇文章是胡适先生给中国公学十八年级毕业生的毕业赠言。胡适先生鼓励毕业生离开学校后继续研究学问，成为有用的人才。请预习课文，并试着回答下面的问题。

1. 毕业生离开母校之前，胡适先生送给他们一句什么话？你对这句话怎么理解？
2. 说到研究学问，胡适先生举了谁的例子？
3. 请介绍一下你的母校。
4. 谈谈你对学问的看法。

诸位毕业同学：

你们现在要离开母校了，我没有什么礼物送给你们，只好送你们一句话罢。

这一句话是："不要抛弃学问。"以前的功课也许有一部分是为了这张毕业文凭，**不得已**而做的。从今以后，你们可以**依**自己的心愿去自由研究了。趁现在年富力强的时候，努力做一种专门学问。少年是一去不复返的，等到精力衰退时，要做学问也来不及了。即使为吃饭计，学问也决不会辜负人的。吃饭而不求学问，三年五年之后，你们都要被后进少年淘汰掉的。到那时再想做点学问来补救，恐怕已太晚了。

有人说："出去做事之后，生活问题急需解决，哪有工夫去读书？即使要做学问，既没有图书馆，又没有实验室，哪能做学问？"

我要对你们说：凡是要等到有了图书馆才读书的，有了图书馆也不肯读书；凡是要等到有了实验室才做研究的，有了实验室也不肯做研究。你有了决心要研究一个问题，**自然**会节衣缩食去买书，自然会想出法子来置备仪器。

至于时间，更不成问题。达尔文一生多病，不能多做工，每天只能做一小时的工作。你们看他的成绩！每天花一小时看10页有用的书，每年可看3600多页书，30年读11万页书。

诸位，11万页书可以使你成为一个学者了。可是，每天看三种小报也得费你一小时的工夫，四圈麻将也得费你一小时的光阴。看小报呢？还是打麻将呢？还是努力做一个学者呢？全靠你们自己的选择！

易卜生说："你的最大责任是把你这块材料铸造成器。"

学问便是铸器的工具。抛弃了学问便是毁了你自己。

再会了！你们的母校眼睁睁地要看你们十年之后成什么器。

（作者：胡适。有改动）

◉ 注释

1. 胡适（Hú Shì，1891—1962），现代学者，字适之，安徽绩溪人。1910年赴美国，先后就读于康奈尔大学和哥伦比亚大学。1917年回国，任北京大学教授。曾提倡文学改革，是新文化运动的著名人物。1938年任中华民国驻美国大使，1946年任北京大学校长。1948年去美国，之后去台湾。1962年病逝。著作有《中国哲学史大纲》（上卷）、《白话文学史》（上卷）、《胡适文存》等。

2. 达尔文（Dá'ěrwén / Charles Robert Darwin，1809—1882），英国博物学家，进化论的创立人。1859年出版了《物种起源》一书，提出以自然选择为基础的进化学说。随后又发表了《动物和植物在家养下的变异》《人类起源及性的选择》等书，进一步充实了进化学说的内容。

3. 易卜生（Yìbǔshēng / Henrik Johan Ibsen，1828—1906）挪威（Nuówēi / Norway）剧作家。主要剧本有《社会支柱》《玩偶之家》《国家公敌》等。

词语表

1 赠言	zèngyán	【名】	分别时说的或写的勉励的话 words of advice or encouragement given to a friend at parting
	临别赠言		
2 诸位	zhūwèi	【代】	总称所指的人，有恭敬的语气 you, ladies and gentlemen
	诸位先生（女士）　诸位同事		
	◎ 对于这个项目，诸位有何高见？		
3 母校	mǔxiào	【名】	说话人称自己曾经在那里学习过的学校为母校
•4 罢	ba		同"吧"（多用于20世纪30年代）
•5 抛弃	pāoqì	【动】	扔掉不要
	抛弃财产　抛弃地位　抛弃朋友　不要抛弃传统文化		
6 学问	xuéwen	【名】	知识；学识 learning, knowledge
	有学问的人　做学问　学问高深		
	◎ 在他看来，数学、物理都是很有趣的学问。		
	◎ 与人打交道大有学问。		

| 7 功课 | gōngkè | 【名】 | ①学生按照规定学习的知识、技能 |

◎ 这学期他选了五门功课。◎ 小王每门功课都是前三名。

②教师给学生布置的作业

做功课　繁重的功课

| •8 文凭 | wénpíng | 【名】 | 指毕业证书 diploma |

大学文凭　取得文凭

9 不得已	bùdéyǐ	【形】	没有办法；不能不这样
•10 依	yī	【介】	根据、按照 according to, judging by
11 心愿	xīnyuàn	【名】	愿望

◎ 他从小的心愿是有机会去环球旅行。

◎ 改善小区的环境是居民们共同的心愿。

| 12 年富力强 | nián fù lì qiáng | | 年轻，精力旺盛 in the prime of life, in one's prime |

◎ 他年富力强，对未来充满信心。

| 13 一去不复返 | yí qù bú fù fǎn | | 一旦离开就再也不会回来了，形容已经过去的事情再也不能重现 |

◎ 时光一去不复返，留给我们的只有记忆。

| •14 衰退 | shuāituì | 【动】 | （身体、精神、意志、能力等）越来越弱 to fail, to decline |

体力衰退　视力衰退　记忆力衰退

◎ 经过多年战争，国家经济严重衰退了。

| 15 辜负 | gūfù | 【动】 | 对不住（别人的好意、期望或帮助）let down, fail to live up to, be unworthy of, fail to fulfil the hopes of (a person) |

辜负了父母的期望　辜负了母校的培养

| 16 后进 | hòujìn | 【名】 | 学识或资历比较浅的人 juniors |

帮助后进

| | | 【形】 | 进步比较慢、水平比较低的 |

后进班级　帮助后进同学

| •17 淘汰 | táotài | 【动】 | 去掉坏的留下好的，去掉不适合的留下适合的 |

◎ 公司淘汰了一批旧型号的汽车。◎ 在预赛中，我们队被淘汰了。

| •18 补救 | bǔjiù | 【动】 | 采取行动改正错误；想办法使缺点不发生影响 remedy |

| 19 恐怕 | kǒngpà | 【副】 | ①表示估计、猜测 |

◎ 他走了半天了，这会儿恐怕快到家了。

② 表示估计兼担心

◎ 再不走，恐怕我们就赶不上这班飞机了。

20 急需	jíxū	【动】	紧急需要
21 节衣缩食	jié yī suō shí		在生活方面尽量节俭 economize on food and clothing, live frugally
22 法子	fǎzi	【名】	方法
			好法子　想法子　没法子
•23 置备	zhìbèi	【动】	购买 purchase
			◎ 活动中心为老年人置备了很多锻炼器材。
24 仪器	yíqì	【名】	用于实验、计量、观测、检验、绘图等的比较精密的器具或装置 instrument, apparatus
25 至于	zhìyú	【介】	引出与前面一个话题有关的另一个话题 as for, as to
26 一生	yìshēng	【名】	从生到死的全部时间
			◎ 父母一生节俭。◎ 他把帮助贫困地区的人们作为一生的事业。
27 学者	xuézhě	【名】	在学术上有成就的人 scholar; a learned man; a man of learning
28 小报	xiǎobào	【名】	篇幅比较小的报纸 small-sized newspaper, tabloid
			◎ 这些小报记者天天跟着电影明星。
29 光阴	guāngyīn	【名】	时间
			◎ 一寸光阴一寸金，寸金难买寸光阴。
			◎ 大学时代的光阴是他一生中最难忘的。
30 责任	zérèn	【名】	分内应做的事 responsibility, duty
			◎ 救死扶伤是医生的责任。
31 铸造	zhùzào	【动】	把金属加热熔化后倒入砂型或模子里，冷却后凝固成器物 cast; found
32 成器	chéng qì		比喻成为有用的人
			◎ 父母的努力没有白费，他们家几个孩子都挺成器的。
•33 铸	zhù	【动】	铸造
•34 毁	huǐ	【动】	破坏；糟蹋 ruin, destroy
			◎ 一场大火把他的家全毁了。
			◎ 他一时糊涂犯了大错，毁了自己的前途。
35 再会	zàihuì	【动】	再见

36 眼睁睁　　yǎnzhēngzhēng　　【形】 睁大了眼睛，常形容发呆、没有办法或无动于衷 looking on helplessly or unfeelingly

◎ 老师讲的他一点儿也听不懂，只能眼睁睁地看着黑板。

◎ 他眼睁睁地看着钱包被坏人抢走了。

◎ 他帮不上忙，眼睁睁地看着朋友着急。

词语练习

根据拼音写出词语，然后把它们填在合适的句子里：

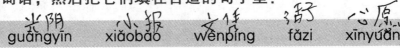

光阴　　小报　　文凭　　法子　　心愿
guāngyīn　　xiǎobào　　wénpíng　　fǎzi　　xīnyuàn

1. 我的词汇量不够，你有什么记生词的好（ 法子 ）？
2. 等地铁时，她在报亭买了几份娱乐（ 小报 ）。
3. 妹妹写文章写得很好，又爱看体育比赛，她的（ 心愿 ）是当一名体育记者。
4. 实际上（ 文凭 ）不一定能反映一个人的真实能力。
5. 他不愿意虚度（ 光阴 ）。

辜负　　抛弃　　衰退　　铸造　　淘汰
gūfù　　pāoqì　　shuāituì　　zhùzào　　táotài

6. 他没有拿到毕业文凭，（ 辜负 ）了父母的希望。
7. 硬币是用两种以上的金属（ 铸造 ）成的。
8. 这个孩子生下来就有残疾，被父母（ 抛弃 ）了，只能住在福利院里。
9. 有些老字号因为产品跟不上时代而被（ 淘汰 ）了。
10. 年纪大了，身体器官的机能都（ 衰退 ）了。

语言点

1 不得已

● 以前的功课也许有一部分是为了这张毕业文凭，不得已而做的。

没有办法，不能不这样。例如：

（1）孩子没人照顾，不得已，她推迟了旅行计划。

（2）他离开故乡南下打工，是出于不得已。

（3）弟弟急需钱用，不得已以极低的价格卖掉了经营多年的饭馆儿。

有固定用法"万不得已"，表示实在没有办法，不能不如此。例如：

（4）除非万不得已，他不会求朋友帮助。

2 依 ☆

● 从今以后，你们可以依自己的心愿去自由研究了。

介词，根据、按照。后常跟单音节词，此外还有一些固定搭配，如"依我看""依我说""依你看"等。例如：

（1）这件事我们一定会依法处理。

（2）依当时的紧急情况，我们不得已关闭了出口。

（3）依我看，我们还是坐火车去吧，能省不少钱。

（4）依你说，这些奇怪的符号到底是什么意思？

3 为……计

为了?

● 即使为吃饭计，学问也决不会辜负人的。

为……打算，为……考虑，一般用于书面语。例如：

（1）为健康计，你应该多运动，少饮酒。

（2）为按时完成工程计，我们需要准备好充足的工程款。

（3）为退休后的生活计，你现在就应该培养出一两种爱好。

4 自然

Naturally

● 你有了决心要研究一个问题，自然会节衣缩食去买书，自然会想出法子来置备仪器。

副词，当然，一定，表示理应如此。例如：

（1）她们几个是从小一起长大的朋友，自然比别人关系亲密些。

（2）小王第一次出国，心里自然紧张不安。

（3）事先没有征求他的意见，他自然有些不满。

语言点练习

一 用所给的词语完成句子或对话：

1. A：你一边读书，一边打工，太辛苦了。

   B：父亲身体不好，母亲又下岗了，_____。
   （不得已）

2. 哥哥是个很自立的人，_____，他不会开口求人。（万不得已）

3. A：春节去朋友家拜年，带点儿什么礼物好呢？

   B：依他的口味，送给他佳肴就行了_____。（依）

4. A：我7月份毕业，还没找到合适的工作。

   B：依报纸上的说法，毕业就上石研究生_____。

5. 为交通安全计，多乘地铁少乘车_____。

6. 为保护网足安全计_____，公司给每位员工都更换了电脑。（为……计）

7. A：昨天看的那部电影，感觉很奇怪。

   B：导演和摄影都是电影界的新人，自然比别物有经验的导演奇怪（自然）

8. 古人说："书读百遍，其意自见。"意思是反复读一本书，你的看会自然变一页。（自然）

二 用本课学习的语言点回答问题：

1. 你一直在学唱京剧，最近怎么不去学了？（不得已）

2. "十一"放一星期假，我打算去旅行，你说去云南还是去西藏？（依）

3. 去这么危险的地方旅行，你如何保证大家的安全？（为……计）

4. 我在国内学过半年汉语，可中国人说得太快，我都听不懂。（自然）

综合练习

一 熟读下面这段话，注意体会加点词的用法，并模仿造句

　　这一句话是："不要抛弃学问。"以前的功课也许有一部分是为了这张毕业文凭，不得已而做的。从今以后，你们可以依自己的心愿去自由研究了。趁现在年富力强的时候，努力做一种专门学问。少年是一去不复返的，等到精力衰退时，要做学问也来不及了。即使为吃饭计，学问也决不会辜负人的。吃饭而不求学问，三年五年之后，你们都要被后进少年淘汰掉的。到那时再想做点学问来补救，恐怕已太晚了。

二 参照例句，用"去"或"来"把下面每组句子合并成一个：

来 → ever since / come → arrive / come around / next

去 → to go in order to...

例1：从今以后，你们可以依自己的心愿了。

　　　从今以后，你们可以自由研究了。

　　　→从今以后，你们可以依自己的心愿去自由研究了。

例2：你有了决心要研究一个问题，自然会想出法子。

　　　你有了决心要研究一个问题，自然会置备仪器。

　　　→你有了决心要研究一个问题，自然会想出法子来置备仪器。

1. 他准备了两个话题。
   他需要向老教授请教。 他需要向老教授请教去准备了两个话题

2. 孩子希望靠自己的选择。
   孩子希望自己决定大学的专业。 孩子希望靠自己的选择来决定大学的专业

3. 在作文中，他用了两个新学到的句型。
   在作文中，他表达了自己的看法。 在作文中,他那两个新学到的句型去表达了自己的看法

4. 我一下子想不出什么理由。
   我劝小王别换公司。

5. 小学生拿出了自己的压岁钱。
   小学生帮助贫困的孩子。 小学生拿出了自己的压岁钱去准备下学期

6. 小王假期想在超市打工。
   小王要准备下学期的学费。

三　回答下面的问题，然后把回答的内容写成一段小短文：

1. 在你们国家，学生一般在每年的几月份毕业？

2. 学生毕业的时候，学校里会举行毕业典礼吗？

3. 毕业典礼在什么地方举行？

4. 除了毕业生外，还有什么人参加毕业典礼？

5. 参加毕业典礼的毕业生应该穿什么衣服？他们需要做哪些准备？

6. 毕业典礼一般有哪些仪式？

7. 毕业典礼上哪些人会讲话？

8. 有没有专门在毕业典礼上唱的歌或者演奏的音乐？

9. 毕业典礼后还有什么活动？有没有晚会或者演出？

10. 参加典礼的毕业生们心情怎么样？

四　下面是一封叔叔（父亲的弟弟）写给侄女的信，请试着补上信中空白的内容：

兰兰：

　　你好！来信收到了。祝贺你大学毕业！

　　时间过得真快。我还清楚地记得你刚收到录取通知书，打电话来向我们报喜的日子！那天我和你婶婶（shěnshen，叔叔的妻子）还特地在家里庆祝了一番。

　　记得你在电话里兴奋地说你终于拿到了你最向往的大学的录取通知书，就要开始新的生活。你已经和好朋友一起去了一趟大学，你惊讶地说大学的校园真大，大学生的学习生活真充实。

　　现在回忆起来，还好像是昨天的事情。转眼间四年过去了，你来信说你已经找到了一份电脑公司的工作，准备告别学校生活，走进社会，体会另一种人生。虽然我和你父亲都希望你能继续读研究生，钻研学问，但是我们尊重你的选择。

　　你就要毕业了，叔叔心里非常高兴，也非常感慨。叔叔想要对你说的是，大学毕业了，但是追求学问的过程并没有结束。叔叔非常希望你在未来的日子里不要放弃学问。（补充一）

当然，进入公司以后，特别是前两年，要尽快熟悉公司的业务，可能没有那么多的时间看书学习，但是（补充二）

你今年还不满二十二岁，正是年富力强的时候，（补充三）

非常感谢你来信邀请我和你婶婶参加7月举行的毕业典礼，我们都非常期待那一天。我们把家里的事情安排一下，下个月初去北京。

替我问候你的爸爸妈妈，下个月我就可以跟他们见面了。

祝你

身体健康！万事如意！

叔叔

6月25日

　　回忆一下自己成长的过程，有没有什么事情让你一下子觉得自己长大了？这篇副课文记录了几个让"我"突然意识到自己长大了的"瞬间"。

时光隧道

　　数年前的一天，我和父母、妻子、儿子在一家把菜谱胡乱涂在黑板上的饭馆用餐。"盛宴"之余，侍应员将一纸账单搁在桌心。就在此时，没有料到的事发生了：父亲没有伸手拿账单。

　　大家依旧谈话。我心里终于亮堂了，接账单的该是我呵！曾同父母一起下过千百次馆子，每次我都下意识地觉得只有父亲才是掏钱的人，可现在全变了。我伸手拿过了账单，也在一瞬间接过了对自己全新的认识：我已经是一个成人。

　　有些人随着流年长大，而我，成长的感觉全依凭时光隧道中的点点滴滴。我没有在某个特定年龄，比如13岁，变成小伙子，而是在一件偶然的小事里。那天，一个小男孩大摇大摆地进了我工作的那家商店，开口就叫我"先生"，他直愣愣地盯着我，又连叫了好几遍，我觉得好像脑门挨了

把

盛宴 shèngyàn（名）盛大的宴会
侍应员 shìyìngyuán（名）服务员

账单 zhàngdān（名）记载钱物出入事项的单子 bill, check
依旧 yījiù（副）跟原来一样
亮堂 liàngtang（形）（思想等）清楚

下意识 xiàyìshi 没有意识的心理活动 subconsciousness

一瞬间 yíshùnjiān（名）转眼之间。形容时间非常短

流年 liúnián（名）指时间
依凭 yīpíng（动）依靠 rely on, depend on
时光 shíguāng（名）时间
隧道 suìdào（名）在山中或地下挖出的通道 tunnel
特定 tèdìng（形）某一个（人、时期、地方等）specific, specified, given
偶然 ǒurán（形）不是按照规律而发生的 accidental, chance, fortuitous
大摇大摆 dà yáo dà bǎi 形容完全不在乎的样子

一拳头：我，突然成了先生！

　　这一隧道中还有别的里程碑。曾几何时，年轻的警察在我眼里显得魁梧，甚至像巨人一样高大，当然，那时他们岁数比我大。事实上，有些还仅仅是孩子，而且是矮矮的孩子。又有那么一天，我猛然发现电视里在绿茵场上驰骋的足球运动员都比我年轻，都还只是大孩子。随着这一里程碑的飘忽闪过，我那当足球运动员的幻梦也随即烟消云散。我所苦恋的那座小山从没为我出现，可蓦然回首，却发现我早已越过。

　　从没想过我会像父亲那样，在电视机前沉沉睡去，而今这却是我的一大专长；从没想过我会只去沙滩而不游泳，而今整个8月我都闲坐海边却不去畅游；从没想过我会喜欢歌剧，而今我却为个中的悲怆以及歌声与乐队的奇妙组合而深深陶醉；从没想过我会乐意一晚上又一晚上在家里独守枯灯，而今我却发现自己错过一个又一个聚会；从没想过我会留意天上的飞鸟，可去年的一个夏日，我却注视它们，目不转睛，甚而想找一本关于鸟类的书籍；从没想过我会皈依某一个宗教，而今我却是无限渴望和向往，对久已逝去的祖先更是无法忘怀。每每与儿子展开舌战，我总是搬

里程碑 lǐchéngbēi（名）道路旁边记载里数的标志
曾几何时 céngjǐhéshí 时间过去没多久
魁梧 kuíwu（形）（身体）高大强壮

猛然 měngrán（副）忽然；突然
绿茵场 lǜyīnchǎng（名）指足球场
驰骋 chíchěng（动）（骑马）很快地跑
飘忽 piāohū（动）很快地浮动
幻梦 huànmèng（名）虚幻的梦，比喻不能实现的幻想 illusion, dream
随即 suíjí（副）随后就；立即
烟消云散 yān xiāo yún sàn 比喻消失得干干净净
蓦然 mòrán（副）猛然
而今 érjīn（名）如今
专长 zhuāncháng（名）专门的学问技能；特长
沙滩 shātān（名）水边的沙地
畅游 chàngyóu（动）痛痛快快地游泳
个中 gèzhōng（名）其中
奇妙 qímiào（形）稀奇巧妙
组合 zǔhé（名）组织起来的整体
陶醉 táozuì（动）处在某种境界或情绪中，深深地感到满足 be intoxicated
乐意 lèyì（动）愿意
聚会 jùhuì（名）会合到一起的活动
留意 liúyì（动）注意；小心
目不转睛 mù bù zhuǎn jīng 眼珠都不转一下，形容注意力高度集中
甚而 shèn'ér（副）甚至
皈依 guīyī（动）信奉或参加宗教组织 be converted to a certain religion
向往 xiàngwǎng（动）因为热爱、美慕某种事物或境界而希望得到或达到 yearn for, look forward to
祖先 zǔxiān（名）一个民族或家族的上代，特别指年代比较久远的 ancestry, ancestors, forefather
舌战 shézhàn（动）激烈地辩论 have a verbal battle with, argue heatedly with

出父亲那一套，可我是屡战屡败。

　　有那么一天，我买了一栋属于自己的房子。又有那么一天——那是怎样的一天啊！——我当上了父亲，不久以后，我又为自己的父亲捡起了账单。好一段悄无声迹的时光隧道啊！又过了一段时间，我发现，自己的父亲不也是从这时光隧道中过来的吗？

　　又一个里程碑。

　　　　（作者：[美]理查法·柯亨，林瑞华译）

屡 lǚ（副）多次

栋 dòng（量）一座房屋叫一栋

悄无声迹 qiǎo wú shēng jì 没有声音，没有痕迹

副课文练习

 根据副课文回答下列问题：

1. "数年前的一天"发生了什么事？为什么"我"的印象很深？

2. 你同意"时光隧道"的说法吗？

3. 什么是"里程碑"？副课文用"里程碑"来比喻什么？

4. 在"我"眼里，"年轻的警察""足球运动员"的形象有什么变化？为什么会有这种变化？

5. 根据自己对副课文内容的理解，填写下表：

过　去	如　今
津津有味地看电视看到深夜	在电视机前沉沉睡去
跃入海里游个痛快	闲坐海边不去畅游
从没想过我会款哥欠剧	为个中的悲怆以及歌声和乐队的奇妙组合而深深陶醉
乐意一晚上又一晚上在家	一个晚上在家独守枯灯,错过一个又一个聚会
留意天上的飞鸟	目不转睛地注视飞鸟,甚而想找一本关于鸟类的书籍
皈依某一个宗教	对宗教无限渴望和向往,对久已逝去的祖先更是无法忘怀
	每每搬出父亲那一套与儿子舌战,屡战屡败

从没想过我会

分组讨论：

1. 关于时间，还有哪些比喻？

2. 说说你自己成长过程中的里程碑。

3. 回忆一下自己的成长过程，哪些人、哪些事给你留下了深刻的印象？

4. 在"时光隧道"中，你愿意在哪一段停留？比如：10岁、20岁、30岁、40岁……

5. 如果你结婚成家了，你愿意和父母一起住吗？你觉得怎样和父母相处最理想？

▶ **准备**

　　这是一篇讲父亲去世后，母亲如何鼓励年幼的孩子们走出丧父的悲哀，以积极的态度去面对人生的故事。请预习课文，并回答下面的问题。

> 1. 父亲去世时，家里人的情况是怎么样的？
>
> 2. 在父亲去世后的第一个忌日，母亲做了什么？说了什么？

> 3. 母亲的话对"我们"产生了哪些影响？
>
> 4. 以后每年父亲的忌日，家里人都会做什么？
>
> 5. 在这篇文章里，"灯"代表了什么？

　　我并非那种什么都能泰然处之的人，内心常常有许多莫名的恐惧。我害怕一个人走在黑暗的夜里，黑夜像一条奔腾的大河，覆盖着我单薄的身影和寂寞的心思，它随时都可能吞噬我，令我束手无策。面对黑夜，我感到窒息。我不知道还有谁会有我这种感觉。那是寂寞，最深重的孤独！

　　这时，我就想，要是能有一盏灯，它在黑夜里闪烁，即使是一闪即逝，也能给我一份企盼，一个方向，一个往前的信念。

　　十年前，父亲由于一个偶然的变故而猝然辞世。那时我们兄妹都处在一个令人牵挂得丢不下的年龄，最小的妹妹只有十三岁。父亲下葬的那天，她哭泣着抱着我问："哥，我们今后怎么过？"我不敢想象没有父亲的日子该如何度过。整整一个冬天，我和妹妹连学都懒得上。我们缩在破旧的老屋里拼命地想父亲，而母亲则在一个短短的季节里苍老了几岁。那段时间，是我们一家最黯淡的时候。我和妹妹和着泪挨过了断断续续的两学期。

　　父亲去世后的第一个忌日，母亲把我们兄妹几人召集回家。在低矮的旧屋里，母亲点亮了一盏灯，然后用她从未有过的从容的声音问我们是不是很想念父亲。母亲说："父亲在这一天会从阴间看到这盏灯的，他会看到这盏灯照耀下的我们一家。孩子们，别再让他伤心牵挂，擦干你们的眼泪，笑一笑，他就坐在我们身边。"

　　就在那一刻，我们似乎真的觉得父亲就坐在自己的身边，坐在灯光下，亲切而充满怜爱地打量着我们。就是这样的一盏灯，照耀着我们一家（还有天堂里的父亲），而后又从半掩着的门后探出头去，映照着充满了亲情的人间。我们都不想再让带着一生的遗憾和牵挂离开这个家庭的父亲再为他的儿女们伤心。我们在这盏灯下谈明年的打算，谈以后的路。——父亲在仔细地听着呢！

　　那个夜晚，那盏灯一直亮到天明。母亲说，往后每年这个日子，只要这盏灯依旧亮着，父亲就一定会再回到家中，和我们在一起。他会听到我们的声音，别让他责问我们：瞧瞧，这一年你们都做了些什么？

多年来，**每**到这一天，这盏灯就会被我们兄妹点燃。无论我们走多远，走到哪里，都会在这一天赶回家，一家人围在一起，亲切地交谈，说开心的事，说自己这一年的成绩。这盏灯就这样静静地照着我们。我相信，在我们一家人之间，仍然有着父亲的呼吸，行走在另一个世界的父亲也一定感受到了它的光芒和温暖。

多年后，当我们兄妹各自长大，各自有了自己的家庭，都肩负起一份责任时，我们才猛然醒悟：那一盏灯，不是为父亲，其实是为我们自己而点的。黑暗中，我**因**害怕**而**渴望爱与被爱，**因为**爱**而**为父亲点起的一盏灯，却照亮了自己。

一生之中又有多少个这样黯淡的岁月？我常因一些莫名的东西而彷徨踟蹰，却又能在内心最黑暗的时候为自己点燃一盏灯。这一盏灯，就是一个信念，一份爱，照亮了心灵中的寂寞和孤独。最绝望的时候，给自己点一盏灯！

（作者：光子。有改动）

词语表

1	并非	bìngfēi	【动】	并不是
2	泰然处之	tàirán chǔ zhī		在各种情况下都能沉着镇定地对待事物 take sth. calmly
3	内心	nèixīn	【名】	心里头
				◎ 我内心充满矛盾。　◎ 他说的话都是发自内心的。
4	恐惧	kǒngjù	【形】	非常害怕 fear, dread
5	奔腾	bēnténg	【动】	（许多马）跳跃着奔跑
				◎ 小船随着奔腾的河水飞快地冲向远方。
6	覆盖	fùgài	【动】	遮盖 cover, overspread
				◎ 青草覆盖着山坡。
7	单薄	dānbó	【形】	（身体）瘦弱 thin and weak
				◎ 大病一场以后，她显得更加单薄了。
				◎ 你身子单薄，不能连着熬夜。

| 8 | 身影 | shēnyǐng | 【名】 | 从远处看到的身体的模糊的形象 a person's silhouette, figure |

◎ 望着孩子远去的身影，母亲不禁流下泪来。
◎ 他一直无法忘怀朋友在站台上向他挥手的身影。

| 9 | 心思 | xīnsi | 【名】 | ① 心情 state of mind, mood |

没心思学习　没心思做饭　没心思收拾房间

② 脑筋 thinking

费心思　花心思　用心思

| 10 | 吞噬 | tūnshì | 【动】 | 不嚼或不细嚼，整个地或成块地咽下去，比喻大量侵占、淹没 swallow, gobble up, engulf |

◎ 洪水很快就吞噬了村庄。

| 11 | 束手无策 | shù shǒu wú cè | | 像捆住了手似的，无法应付。比喻遇到问题没有办法解决 be at a loss what to do, feel quite helpless, be at one's wit's end |

◎ 各种方法都试过了，病人还是高烧不退，医生们束手无策。

| 12 | 窒息 | zhìxī | 【动】 | 因外界氧气不足或呼吸系统发生障碍而呼吸困难甚至停止呼吸 stifle, suffocate |

| 13 | 深重 | shēnzhòng | 【形】 | （罪孽、灾难、危机、苦闷等）程度高 very grave, extremely serious |

苦难深重　深重的灾难　深重的危机感

| 14 | 孤独 | gūdú | 【形】 | 独自一个人；单身无依靠，感到寂寞 lonely, solitary |

◎ 他一个人孤独地度过了周末。　◎ 刚到国外时，他感觉特别孤独。

| 15 | 闪烁 | shǎnshuò | 【动】 | 光亮摇动不定，忽明忽暗 twinkle, glimmer, glisten |

◎ 星星在天边闪烁。　◎ 她的眼里闪烁着泪珠。

| 16 | 企盼 | qǐpàn | 【动】 | （书面语）盼望 |

企盼世界和平　企盼全家团聚
◎ 很多年轻人企盼去大城市闯荡。

| 17 | 信念 | xìnniàn | 【名】 | 自己认为可以相信的看法 |

坚定的信念　有信念　信念十足

| 18 | 偶然 | ǒurán | 【形】 | 不是按照规律而发生的 accidental, fortuitous |

| 19 | 变故 | biàngù | 【名】 | 意外发生的事情；灾难 an unforeseen event, accident, misfortune |

◎ 在那场偶然变故中他成了孤儿。

| 20 猝然 | cùrán | 【副】 | （书面语）突然；出乎意外 suddenly, abruptly, unexpectedly |

◎ 记者猝然发问，令他不知怎样回答。
◎ 他因心脏病而猝然离世。

| 21 牵挂 | qiānguà | 【动】 | 因想念而放心不下 |

◎ 父母牵挂在国外留学的孩子。
◎ 最令他牵挂的是那些无依无靠的老人。

| 22 下葬 | xià zàng | | （书面语）把死者埋到土里 |
| 23 哭泣 | kūqì | 【动】 | （书面语）小声哭 |

◎ 人们都为这位科学家的英年早逝而哭泣。

| 24 整整 | zhěngzhěng | 【副】 | 达到一个整数的，可以用在动词的前面，也可以用在动词的后面 |

◎ 我们整整等了她五个小时（等了她整整五个小时）。
◎ 写完毕业论文，他整整睡了一天（他睡了整整一天）。
◎ 他买了很多书，整整装了五大箱（装了整整五大箱）。

| 25 懒得 | lǎnde | 【动】 | 不愿意（做某事） |
| 26 破旧 | pòjiù | 【形】 | 又破又旧 |

◎ 房间里是一些破旧的家具。 ◎ 这座寺庙年久失修，破旧得很。

| 27 苍老 | cānglǎo | 【形】 | 人的面貌、声音等显出老态 old (in appearance), hoary, (of an old man's voice) hoarse |

◎ 老伴不幸去世，他一下子苍老了许多。

| 28 黯淡 | àndàn | 【形】 | 昏暗；不光明；不鲜艳 |

光线黯淡的房间　表情黯淡　前途黯淡

| 29 挨 | ái | 【动】 | 困难地度过（岁月） struggle to pull through (hard time), drag out |

◎ 考官净问些古怪的问题，他好不容易才挨过了三十分钟的面试。

| 30 断断续续 | duànduànxùxù | 【形】 | 时而中断，时而继续 off and on, intermittently |

◎ 他回国后，还断断续续地给我发回来不少论文资料。
◎ 记者把老人断断续续的叙述整理成了一份回忆录。

| 31 去世 | qùshì | 【动】 | （成年人）死去 |

◎ 他爷爷去世了。

| 32 忌日 | jìrì | 【名】 | 亲人或朋友去世的日子 |
| 33 召集 | zhàojí | 【动】 | 通知人们集合起来 |

◎ 班长召集全班同学商量旅行的事。

34 从未	cóng wèi		（书面语）从没有
35 从容	cóngróng	【形】	不慌不忙；沉着镇静 calm, unhurried, leisurely

◎ 有乘客突然晕倒了，列车员从容地组织抢救。

| 36 阴间 | yīnjiān | 【名】 | 迷信指人死后灵魂所在的地方 nether world, Hades |
| 37 照耀 | zhàoyào | 【动】 | 强烈的光线照射 |

◎ 午后的阳光暖暖地照耀着大地。

| 38 刻 | kè | 【名】 | 时间 |

◎ 他回到办公室，一刻不停地写起报告来。

◎ 此时此刻，她相信自己是最幸福的人。

| 39 怜爱 | lián'ài | 【动】 | 疼爱 love tenderly, have tender affection for |

◎ 孩子天真的表情惹人怜爱。

◎ 母亲无比怜爱地抱起孩子。

| 40 天堂 | tiāntáng | 【名】 | ① 指人死后灵魂居住的永享幸福的地方 paradise, heaven |

◎ 他相信去世的父母都去了天堂。

② 比喻幸福美好的生活环境

◎ 海南岛是度假的天堂。 ◎ 有人把香港比做"购物的天堂"。

| 41 而后 | érhòu | 【连】 | 以后；然后 |
| 42 掩 | yǎn | 【动】 | 关；合 |

◎ 门虚掩着。 ◎ 他掩上书，思索起书中的问题来。

43 亲情	qīnqíng	【名】	亲人的情义
44 人间	rénjiān	【名】	人类社会；世间
45 遗憾	yíhàn	【名】	① 感到悔恨或不称心的事情

◎ 他最大的遗憾是没有当上作家。

| | | 【形】 | ② 不称心；十分可惜 regret, pity |

◎ 真遗憾，手术没有成功。

◎ 令人遗憾的是这门古老的手工艺没有流传下来。

| 46 往后 | wǎnghòu | 【名】 | 以后 |

◎ 往后的日子怎么过？

◎ 刚开始看外文书可能很累，往后习惯了就越看越快了。

| 47 依旧 | yījiù | 【副】 | 跟原来一样 |
| 48 责问 | zéwèn | 【动】 | 用责备的口气问 bring/call sb. to account |

◎ 老板责问他为什么一直完不成工作。

49 点燃　diǎnrán　【动】　使燃烧 light, kindle, ignite

◎ 运动员代表点燃了运动会的火炬。

50 开心　kāixīn　【形】　心情快乐舒畅 happy; joyous; elated

开心的事情　开心的日子　开心地工作

51 行走　xíngzǒu　【动】　走

◎ 没有人行道的马路上，行人应靠右行走。

52 感受　gǎnshòu　【名】　① 因接触外界事物而受到的影响，得到的体会 thoughts of feelings; feeling

留学感受　生活感受　强烈的感受　感受很深

　　　　　　　　　　　　【动】　② 接受；受到 experience, feel

感受亲情　感受到节日气氛　亲身感受一下普通中国人的生活

53 光芒　guāngmáng　【名】　向四面放射的强烈的光线 rays of light, brilliant rays, radiance

54 各自　gèzì　【代】　各人自己；各个方面自己的一方 each, respective

55 肩负　jiānfù　【动】　担负 take on, undertake, shoulder, bear

肩负着……的责任　肩负……的重任　肩负……的希望

56 猛然　měngrán　【副】　忽然 suddenly, abruptly

◎ 汽车猛然停住，很多乘客都摔倒了。

◎ 刚出门，我猛然想起忘了带身份证，又回去拿。

57 醒悟　xǐngwù　【动】　在认识上由模糊变清楚，由错误变正确 come to realize the truth, one's error, etc.; wake up to reality

◎ 他把最近发生的一连串事情联系起来想，一下子醒悟过来了。

◎ 他轻信了骗子的话，多亏朋友指点，他才醒悟。

58 渴望　kěwàng　【动】　迫切地希望 thirst for, long for, yearn for

渴望自由　渴望参加奥运会　渴望过和平安定的生活

◎ 离家一年多了，他渴望早日见到家里人。

59 岁月　suìyuè　【名】　年月

平静的岁月　充满激情的岁月　漫长的岁月

60 彷徨　pánghuáng　【动】　走来走去，犹疑不决，不知道往哪个方向去 walk back and forth, not knowing which way to go; hesitate

彷徨不安　彷徨不前　彷徨失措

◎ 跟父母谈心之后，他不再彷徨了。

| 61 踟蹰 | chíchú | 【动】 | （书面语）心里迟疑，要走不走的样子 hesitate; waver |
| | | | |

在改革问题上踟蹰不前

◎ 他在门口踟蹰了好一会儿，不知道该不该进去。

| 62 心灵 | xīnlíng | 【名】 | （书面语）指内心、精神、思想等 heart; soul; spirit |

美丽心灵　幼小的心灵　心灵深处

◎ 演出使观众的心灵受到震动。

| 63 绝望 | juéwàng | 【动】 | 希望断绝；毫无希望 |

◎ 他失败了，但是并没有绝望。

◎ 老人长期生病，卧床不起，对生活感到绝望了。

词语练习

一　根据拼音写出词语，然后把它们填在合适的句子里

吞噬	企盼	醒悟	点燃	牵挂
tūnshì	qǐpàn	xīngwù	diǎnrán	qiānguà
swallow	wish	wake up, realize	light	spread

1. 我怎么也不明白魔术演员是怎么变出鲜花的，朋友让我注意他的袖子，我才（醒悟）过来。

2. 他（吞噬）奇迹发生，瘫痪的父亲能重新站起来。

3. 运动会的开幕式上，由一位著名的运动员（点燃）了火炬。

4. 老教授住院治疗期间，还（企盼）着学生们。

5. 突然停电了，黑暗一下子（牵挂）了屋子里的一切。

开心	破旧	单薄	孤独	断断续续
kāixīn	pòjiù	dānbó	gūdú	duànduànxùxù
		weak		

6. 他至今没有成家，好在朋友多，还不觉得（孤独）。

7. 那部电视剧有40集，我（断断续续）地看了将近一半。

8. 丁丁是病房里最小的孩子，（单薄）的身子顶着大大的脑袋。

9. 周末去了朋友的家，一起做饭，喝茶，听音乐，过得非常（开心）。

10. 同乡给了他一辆（破旧）的自行车，除了车铃不响，哪儿都响。

二 用本课学习的生词替换下列句子中加点的部分

1. 我这次去云南出差，每天都忙工作，根本没有心情游山玩水。(心思)

2. 现在很多人都抱怨人与人之间缺少内心的交流。(感受)

3. 该不该跟领导提这件事呢？老王在办公室门口犹豫，要进不进地，下不了决心。(　　　)

4. 老先生年轻时在一所私立大学教书，以后就经营自己的公司了。(而后)

5. 一位有名的作家说过这样的话：这样的生活，有书，有音乐，就是永享幸福的地方了。(　　　)

6. 她一直过得很平静，前年，一场意外发生的事情打乱了她平静的生活。(　　　)

7. 事情已经发生了，你害怕也没有用，沉着冷静地对待吧。(　　　)

三 用本课学习的形容词填空

1. 这种产品样式陈旧，质量也差，市场前景非常（　　　）。

2. 在心理医生的帮助下，小王逐渐克服了悲观情绪，不再（　　　）苦闷。

3. 面对突发事件，要（　　　）应对，千万不要慌了手脚。

4. 政府制定了新政策，正努力消除这场（　　　）的经济危机。

5. 父亲突然去世，他不得不中途辍学，真令人（　　　）。

语言点

1 并非

● 我并非那种什么都能泰然处之的人。

"并不是"，常用于否定某种说法或看法，说明真实的情况，有反驳的语气。常用格式有"并非如此"。例如：

（1）这并非我一个人的意见，这是大家一起讨论的结果。

（2）这本书的作者并非那位知名教授，而是一位跟他同名同姓的记者。

（3）我买这条打折的裙子并非贪图便宜，而是看中了颜色和样式。

（4）报上说那里的经济情况已经开始好转，可是事实并非如此。

2 偶然

● 十年前，父亲由于一个偶然的变故而猝然辞世。

形容词，按道理不一定要发生而发生的，超出一般规律的。例如：

（1）警方认定这是一起偶然事故。

（2）他因为一个偶然的机会出名了。

（3）这个路段发生交通事故并非偶然，这里的转弯设计得有问题。

3 懒得

● 我和妹妹连学都懒得上。

动词，不愿意（做某事），后面带动词、动词词组做宾语。例如：

（1）现在的电视剧真无聊，我懒得看。

（2）宿舍有厨房，但是他们都懒得做饭。

（3）这个人不讲道理，我懒得跟他争论。

4 ……，而……则……

● 我们缩在破旧的老屋里拼命地想父亲，而母亲则在一个短短的季节里苍老了几岁。

在这个格式中，用"而……则……"引出与前面相反或相对的情况，常用于书面语。例如：

（1）双休日年轻人想在家睡懒觉看电视，而老年人则希望出去逛逛。

（2）南方温和湿润，而北方则寒冷干燥。

（3）老王工作能力很强，同样的工作，我紧紧张张地干了一上午，而老王则只用一个小时就轻松完成了！

5 从未

● 然后用她从未有过的从容的声音问我们是不是很想念父亲。

从没有，"从未+动词/形容词+过"。例如：

（1）他是个时间观念很强的人，从未迟到过。

（2）来北京以前，我从未见过熊猫。

（3）我们交往很久了，但是我从未问过他的家庭情况。

6　依旧

● 只要这盏灯依旧亮着，父亲就一定会再回到家中。

　　副词，跟原来一样，照旧。书面语。例如：

（1）爸爸吃了几天药，又打了针，可病情依旧没有什么好转。

（2）人事改革之后，公司里依旧是老样子。

（3）经历了那么多困难和失败，他依旧相信自己会成功的。

　　"依旧"还有动词的用法，意思是跟原来一样。例如：

（4）二十年后再回到这里，景色依旧，可是很多当年的朋友都离开了。

7　每 + V

● 多年来，每到这一天，这盏灯就会被我们兄妹点燃。

　　表示同一动作或者情况有规律地反复出现，常和副词"就""都""总"等配合使用。例如：

（1）我们每学习一个单元，就有一次考试。

（2）他每打进一个球，都朝观众席上挥挥手。

（3）研究生的研究每取得一点儿进展，教授总要鼓励他们几句。

　　常用的搭配有"每当""每逢""每到"等。例如：

（4）每当寺里的钟声响起来的时候，他的心情就出奇地平静。

（5）每逢春节，有家的人都要千方百计赶回家。

（6）每到黄昏，那位老人总是一个人在湖边散步。

8　因/因为 A 而 B

● 黑暗中，我因害怕而渴望爱与被爱，因为爱而为父亲点起的一盏灯，却照亮了自己。

　　A 是原因，B 是结果。例如：

（1）这家超市因为经营不善而停业了。

（2）朋友的父亲因工作上的失误而离开了那家大公司。

（3）这是一起因为酒后驾车而引发的重大交通事故。

语言点练习 ....

一 用所给的词语完成句子或对话

1. A：他的书写得幽默风趣，他在生活中也是个开朗活泼的人吧？
   B：<u>他并非是一个很开朗活泼的人</u>，他平时少言寡语的。（并非）

2. A：这么重要的工作，经理不肯交给我做，我想他不信任我。
   B：<u>并非这样</u>_____，他觉得这个工作不适合你。（并非）

3. A：这家小店位于胡同的最里面，你是怎么发现它的？
   B：<u>其实这家是我偶然地发现了</u>。（偶然）

4. <u>我偶然地拿了他的包包</u>，正好有我需要的文章，真是太巧了！（偶然）

5. A：中午了，我们做点儿饭还是出去吃？
   B：<u>我懒得离开家，做饭就好了</u>。（懒得）

6. A：你的报告写完了吗？
   B：我感冒了，头痛，<u>懒得写功课希望老师会体谅我的情况</u>。（懒得）

7. A：你搬到郊区后，感觉怎么样？
   B：住在城里交通方便，生活设施也齐备，<u>而农村则开车</u>。
   （而……则……）

8. 周末，爸爸一般在家里看体育节目，喝啤酒，<u>而妈妈则做家务</u>。
   （而……则……）

9. <u>我从未没离开妈妈的身边</u>，不过上大学后我要试试独立生活了。（从未）

10. 他进公司已经十几年了，<u>说从未不要辞职</u>。（从未）

11. 十几年过去了，我的生活没有什么变化，<u>依旧没有女朋友</u>。（依旧）

12. 父亲毕业后就回农村教小学，很多人离开了农村，<u>因此任何发展都没有学校依旧破旧</u>。（依旧）

13. 医生让母亲每天给孩子喂六次药，就是说，<u>每吃一顿饭吃两片</u>。
（每＋V）

14. A：你常常运动吗？

B：平时没时间，<u>但是每到夏天开始认真地运动</u>（每＋V）

15. A：听说他最近被银行起诉了？

B：是啊，<u>因为毛不够活而在路上睡了</u>。（因为/因A而B）

16. 弟弟想当飞行员，可是<u>因为眼睛不好而考的很低</u>，失去了当飞行员的机会。（因为/因A而B）

二　用本课学习的语言点回答问题

1. 小王能说一口流利的广东话，他是广东人吗？（并非）

2. 很多人想采访这位足球教练都没机会，你是怎么采访到他的？（偶然）

3. 天气这么好，我们去爬山吧！（懒得）

4. 心情不好的时候，男人和女人的表现有哪些不同？（……，而……则……）

5. 原来你的老家在山西，我还一直以为你是北京人呢！（从未）

6. 听说你们要建新的办公楼，准备建在哪里呢？（依旧）

7. 离开家后，你常常跟家人和朋友联系吗？（每＋V）

8. 进这家大公司很难，小王是怎么被录用的呢？（因为/因A而B）

综合练习

一　熟读下面的句子，注意体会加点词的用法，并模仿造句

1. 面对黑夜，我感到窒息。

2. 我们缩在破旧的老屋里拼命地想父亲，而母亲则在一个短短的季节里苍老了几岁。

3. 就是这样的一盏灯，照耀着我们一家（还有天堂里的父亲），而后又从半掩着的门后探出头去，映照着充满了亲情的人间。

4. 母亲说，往后每年这个日子，只要这盏灯依旧亮着，父亲就一定会再

回到家中，和我们在一起。

5. 多年来，每到这一天，这盏灯就会被我们兄妹点燃。

6. 我们才猛然醒悟：那一盏灯，不是为父亲，其实是为我们自己而点的。

二 课文中出现了很多单音节的动词，请最少找出来10个，并说明它们的意思

三 选词填空

闪　丢　抱　过　缩　挨　围
点　擦　掩　探　瞧　赶

1. 小王看看表说："还有一刻钟，__赶__得上最后一班地铁。"

2. 他____在楼道的一个拐角处，我路过时没看到。

3. 他看了看表，____上书走了出去。

4. 一个小姑娘站在院子里，怀里__抱__着一只小猫。

5. 小刘指着树下那辆新自行车说："__瞧__，我爸爸送给我的生日礼物！"

6. 门外有个身影一__闪__而过，我没看清楚是谁。

7. 他俩扫了地，____了家具，把宿舍打扫得干干净净的。

8. 酒吧里为了营造气氛，熄灭了灯，__围__了很多小蜡烛。

9. 一下课同学们就____成一圈，讨论春游的事。

10. 医生说他不能喝酒，可是一端起酒杯，他就把医生的话____到脑后了。

11. 小王从阳台上____出身来招呼我："快上来！大家都到了！"

12. 他刚进公司时，每天加班，日子____得很紧张。

13. 考试太难了，小王头昏脑胀（tóu hūn nǎo zhàng/feel dizzy）地____过了三个小时。

四 根据课文回答下面的问题，并把回答的内容写成一段话

1. "我"的父亲去世时，家里人的情况是怎么样的？

2. 在父亲的第一个忌日，母亲为什么要点一盏灯？

3. 这盏灯对"我们"一家人有什么影响？

五 在这篇课文里，作者把"黑夜"比喻成"一条河流"，请试着说说其他有关黑夜的比喻

    我害怕一个人走在黑暗的夜里，黑夜像一条奔腾的大河，覆盖着我单薄的身影和寂寞的心思，它随时都可能吞噬我，令我束手无策。

六 你遇到或听说过什么使人产生恐惧感或孤独感的事情吗？请尽量使用下面的词语说说这件事

莫名	害怕	身影	寂寞	吞噬	束手无策
窒息	深重	孤独	黯淡	眼泪	绝望

你了解中国过春节的习俗吗？传统的中国人过春节的时候会给家里人，特别是孩子"红包"，"红包"是体现中国人亲情的方式之一。下面这篇副课文就是关于"红包"的。

我的红包计划

快过年了，我又要准备红包了。每年我都要准备四个红包，分别送给我太太、我岳父岳母和我女儿、我的老父老母。红包包多大，还得量入为出，要看我年底能领回多少钱。还是那句老话，有钱好办事。

昨晚开职工大会，局长在大会上高兴地说："今年我局的形势不是小好，而是大好，经过全局同志的努力奋斗，彻底甩掉了亏损帽子，实现了二十万元盈利。真是可喜可贺！"局长负责任地表示，全年的绩效工资保证在年前全部兑现到位。

听了局长这番话，我心潮澎湃，热血沸腾。散会后我溜到办公室翻出年初绩效目标管理方案，扳着手指一算：哇！年底我可以领到绩效工资3800元，比去年多了630元。

最大的红包当然要包给我太太，今年计划包2800元，比去年净增600元，我太太会非常高兴的。我也要自

红包 hóngbāo （名）红纸包，里面包着钱，用于赠送或者奖励等

岳父 yuèfù （名）妻子的父亲
岳母 yuèmǔ （名）妻子的母亲
量入为出 liàng rù wéi chū 根据收入的情况决定支出多少 keep expenditures below income

亏损 kuīsǔn （动）支出超过收入

盈利 yínglì （名）企业的利润 profit; gain
可喜 kěxǐ （形）令人高兴；值得欢喜
绩效 jìxiào （名）成绩；成效 effect; result
兑现 duìxiàn （动）实现诺言 honour (a commitment, etc.); fulfil
到位 dào wèi 到达合适的位置或预定的地点
心潮澎湃 xīncháo péngpài 心情激动，好像滚滚波涛，自己不能控制
热血沸腾 rèxuè fèiténg 情绪激动、高涨
溜 liū （动）偷偷地走开或进入
扳 bān （动）使固定的东西改变方向或转动 pull; turn
净 jìng （副）单纯而没有别的；只 net

觉，如果她明察暗访，发现我有隐瞒不报行为，还得敬酒不吃吃罚酒，那又何必呢？

第二个红包是包给岳父岳母的，和往年一样，还是280元。我包给他们多少，他们还要加上100元，又包给我女儿兰兰。他们从不要我的钱，只要我有这颗心就行了。给他们包红包其实就是包心意，这钱还是转到了我太太的手里。

第三个红包是包给我女儿兰兰。前几天她说她羊年的吉祥数字是8，本来理应包个888，但财力确实有限，也只好和上年一样包188元。包红包给女儿的感觉就是好，看完春节晚会，我来到女儿床前，将红包放在女儿枕边，摸摸女儿圆圆的红红的脸，幸福之流传遍全身。女儿不在乎钱多钱少，她要的是过年的这种心跳。初一清晨醒来时，手握枕边的大红包，她就会欢天喜地。女儿说："你包得再多也没用，我只能得后面的尾数8，整数反正都是要上交的。"

第四个红包是包给我老父老母的。对这个红包，我太太最敏感了，包多了绝对通不过，按往年的标准，一般在280元以下。但父母还要给兰兰180元，相当于我们其实只包了100元。

明察暗访 míng chá àn fǎng 从各个方面进行周密的调查了解
隐瞒 yǐnmán（动）不让人知道真相
敬酒不吃吃罚酒 jìngjiǔ bù chī chī fájiǔ 好好地劝说不听，用强迫的手段却接受了
往年 wǎngnián（名）过去的年头；从前

心意 xīnyì（名）对人的情意

吉祥 jíxiáng（形）幸运；顺利
理应 lǐyīng（助动）照理应该 ought to; should
财力 cáilì（名）经济力量

在乎 zàihu（动）放在心上

欢天喜地 huān tiān xǐ dì 非常高兴

尾数 wěishù（名）末尾的数字
整数 zhěngshù（名）没有零头的数目，如二十、三百、四千、一万等
上交 shàngjiāo（动）把钱物等交给上级
敏感 mǐngǎn（形）对外界事物反应很快

但我还是留了一手儿的，当太太在洗脚时，我会跑到厨房去，塞给老母600元新票子。这也是我做儿子的一年到头的一点儿心意，但这绝不能让我太太知道。老母心领神会，她只是高兴，从不乱说。

我包了几个红包，付出几千元，可除了我偷偷塞给老母的600元外，其他的最终还是落入了太太的口袋。所以每到过年时，太太的心情就格外好，她知道我又在准备红包了。

（作者：林道辉。有改动）

留一手儿 liú yì shǒur 不全部拿出来

塞 sāi（动）把东西放进有空隙的地方；填入 fill in; squeeze in; stuff

票子 piàozi（名）钞票；纸币

心领神会 xīn lǐng shén huì 不用对方明说，心里明白其中的意思

最终 zuìzhōng（副）最后；到底

格外 géwài（副）超出平常

 副课文练习

一 **根据副课文回答下面的问题**

1. 快过春节了，"我"要准备几个红包？给谁？红包里包多少钱？家里人实际能拿到多少钱？

2. 兰兰是谁？她多大？

3. 为什么太太对第四个红包最敏感？

4. 数字"8"在中国人心目中代表什么？其他的数字呢？你的吉祥数字是多少？

二 **分组讨论**

1. 中国人过春节有哪些习俗？这些习俗都有什么含义？

2. 你知道中国的十二属相吗？今年是什么年？你的属相是什么？

3. 婆媳之间的矛盾有没有普遍性？请试着分析一下产生这种矛盾的心理因素。

三　完成这个小短文（可以根据副课文的内容，也可以自由发挥）

红包代表我的心

我家上有老，下有小，是一个传统的中国家庭，（补充一）

和大多数中国家庭一样，我家也是太太当家，安排家里的大小事务。

我的父母年纪大了，我把他们接过来一起住。平时太太和我母亲的关系还可以，（补充二）

快过年了，我们局里开了个大会，局长宣布了可喜的消息，（补充三）

春节快到了，四个红包是必不可少的。这四个红包代表我的四份心意，（补充四）

3

准备

　　这是一篇介绍北京人的文章。作者通过对北京人饮食的分析，揭示了北京人的性格和心理特点。请阅读这篇文章，并回答下面的问题。

1. 你认识的中国朋友都是哪里人？
2. 你觉得中国南方人和北方人有哪些不同？

3. 你跟北京人聊过天吗？你会跟北京人聊哪些话题？
4. 你知道哪些中国菜？
5. 你喜欢吃小吃吗？请介绍一下你知道的小吃。

　　山西人爱吃醋，无锡人**好**食甜，湖南、四川人喜辣椒，似乎已是家喻户晓的事情。北京人呢？满汉全席是皇家和贵族的菜肴。老北京的美食**当数**全聚德的烤鸭、东来顺的涮羊肉、六必居的酱菜、正明斋的糕点；喝茶，讲究的是茉莉花茶。胡同里的平民百姓偏爱的几样食品是豆汁、炒肝儿和王致和的臭豆腐。

　　外地人来访亲问友，北京人往往会请他们去吃烤鸭，但是外来客（其实也包括许多北京人）吃不出北京烤鸭的美味来。原因很简单，大部分人在吃烤鸭的时候要许多菜。喝酒吃菜，**待到**酒足饭饱**之时**，烤鸭上来了。这时候吃烤鸭，没有肥腻感**才怪呢**！如果说外来客没吃出味来是由于没想到这佳肴的忌讳的话，那么冲淡这北京美味的罪魁祸首当数北京人的好面子、讲排场。

　　老北京有吃臭豆腐的嗜好，并不意味着北京人喜食臭。臭豆腐闻着臭，吃起来却是香的。

　　外地人吃北京炒肝儿，会大呼上当。因为炒肝儿里没有多少肝，更多的是肥肠；而且也不是干炒，是打卤面一般的卤状炖肥肠。

　　更有意思的是豆汁。南城的老北京，特别是底层卖苦力的，如拉洋车的、扛大个儿的（脚夫），尤喜喝豆汁。俩窝头，一碗豆汁，再加一碟咸菜，就可以吃得津津有味。后来讲究了，一碗豆汁外带芝麻火烧、焦圈、咸菜。外地人想品尝一下老北京的小吃，于是来喝豆汁，大多数人都是喝一口就吐出来。这就是老北京爱喝的豆汁？一股酸臭味，像是一碗泔水。但老北京乐此不疲，因为它像可口可乐一样，越喝越上瘾。

　　北京人就是各色，连他们的食品都是难以让人品尝、习惯。

　　大碗喝酒、大块吃肉的西北人透着几分自然人的野性，喜欢麻辣烫的四川人性格也火暴泼辣，菜肴味道显然清淡的杭州人常显温文尔雅。但北京人却没有独具北京特色的菜系，你也不能从烤鸭、臭豆腐、豆汁和炒肝儿中概括一个北京性格。

北京是一个移民城市。北京人来自五湖四海、四面八方。从远古到夏商周，从秦汉到明清，北京一直是多民族繁衍生息、交汇融合的地方。到了现当代，北京**依然**是一个充满活力的移民城市。它融会了南北文化，融会了南方人和北方人的智慧和勇气，也融会了南方人和北方人的优秀和缺憾。它是一个大熔炉——无论你来自哪里，它都会把你熔化在它深厚的底蕴里，使你忘记来自何方，使你乐不思蜀，使你流连忘返。即使你还不时地露出山东、四川、陕西、河南、江浙、东北或湖广的口音，你也已经在不知不觉中化做了北京人。

老北京、移民和新移民共同构筑了北京文化，这北京文化又铸造了北京人的"北京性格"。实际上，北京人既喜欢鲜辣的湘蜀菜，又接受浓重的鲁菜；粤风的生猛海鲜曾火暴京城，东北的蘑菇炖小鸡、猪肉粉条和松仁玉米也曾风行一时。饮食风味的多样化表现了北京人的兼容性；接受酸甜苦辣，也展示了北京人性格的多面性和人文心理的包容性与尝试性。

（作者：刘孝存。有改动）

词语表

1 醋	cù	【名】	调味用的有酸味的液体 vinegar
2 喜	xǐ	【动】	爱好
			◎ 他从小就喜读书，不贪玩乐。
3 家喻户晓	jiā yù hù xiǎo		家家户户都知道
			◎ 龟兔赛跑的故事在中国家喻户晓。
4 贵族	guìzú	【名】	奴隶社会或封建社会里统治阶级的上层，享有特权 noble; aristocrat
			封建贵族　贵族阶层　精神贵族
5 菜肴	càiyáo	【名】	经过烹调的鱼、肉、蛋、蔬菜等 cooked dishes (usu. meat and fish dishes)
6 美食	měishí	【名】	味道好的食品
			◎ 享受各地的美食也是旅行的一个重要内容。
7 糕点	gāodiǎn	【名】	糕饼点心的总称 cookie; pastry; cake
8 百姓	bǎixìng	【名】	人民；民众

| *9* 偏爱 | piān'ài | 【动】 | 在几个人或几件事物中特别喜爱其中的一个或几个 |

◎ 我偏爱四川菜。

| *10* 美味 | měiwèi | 【名】 | 味道鲜美的食品 |

◎ 去小吃街品尝各种美味

| *11* 酒足饭饱 | jiǔ zú fàn bǎo | | 酒也喝够了，饭也吃饱了，形容吃喝得到了很大的满足 |

◎ 主人热情招待，客人们个个酒足饭饱。

| *12* 佳肴 | jiāyáo | 【名】 | 好的菜肴 |

美味佳肴

| *13* 忌讳 | jìhuì | 【名】 | 因风俗习惯或个人理由等而避免说的话或做的事 taboo |

◎ 看了这本介绍春节风俗的书，我了解到很多过年的忌讳。
◎ 选号码的时候，"4"是很多人最大的忌讳。

| | | 【动】 | 对某些可能产生不利后果的事力求避免 avoid as harmful; abstain from |

◎ 奶奶身体不好，忌讳生气和惊吓。
◎ 处理工作中的问题最忌讳掺杂个人感情。

| *14* 冲淡 | chōngdàn | 【动】 | ① 加进别的液体，使原来的液体在同一单位内所含的成分相对减少 dilute |

◎ 多加点水就能把这杯果汁冲淡成两杯了。

② 降低；减弱 water down; weaken

◎ 电影中轻快的音乐冲淡了悲伤的气氛。

| *15* 罪魁祸首 | zuì kuí huò shǒu | | 作恶犯罪的带头人 chief criminal |

◎ 他是这几起抢劫案的罪魁祸首，难逃法律的惩罚。

| *16* 面子 | miànzi | 【名】 | ① 体面 reputation; prestige; face |

丢面子　有面子　没面子　爱面子

② 情面 feelings; sensibilities

◎ 看你父母的面子我才帮你的。

| *17* 排场 | páichǎng | 【名】 | 铺张奢侈的形式或场面 ostentation and extravagance |

讲排场　排场很大

【形】　铺张奢侈 ostentatious and extravagant

◎ 婚礼场面十分排场。◎ 庆祝活动搞得过分排场。

18 嗜好	shìhào	【名】	特殊的爱好 addiction; habit

◎ 收集明星照片是很多年轻人的嗜好。

◎ 老王没有别的嗜好，就是爱喝点儿白酒。

19 炖	dùn	【动】	一种烹调方法，加水烧开后用小火煮很长时间，直到食物烂熟为止 stew
20 底层	dǐcéng	【名】	① 建筑物地面上最底下的一层。泛指事物最下面的部分

大楼的底层是商店　把平时不用的书放在书柜的底层

② 社会、组织等的最低阶层

生活在社会底层的人

21 苦力	kǔlì	【名】	对出卖力气干重活的工人的轻蔑称呼
22 洋车	yángchē	【名】	过去一种人拉的车，主要用来载人
23 脚夫	jiǎofū	【名】	过去称呼搬运工人或者赶着牲口供人雇用的人 stevedore; porter; person who is hired to transport goods on his own donkey or mule
24 尤	yóu	【副】	（书面语）更；尤其

◎ 他擅长书法，尤擅草书。

◎ 这个品牌的服装深受职业女性欢迎，尤以30岁以上的白领女性为主要消费群体。

25 窝头	wōtóu	【名】	用玉米面、高粱面或别的杂粮面做的食物，略为圆锥形，底下有个窝儿。也叫窝窝头 steamed bread of corn, sorghum, etc.
26 碟	dié	【名】	盛蔬菜或调味品的器皿，比盘子小，底部平而浅 small plate; small dish

一碟炸花生米　盛点心用的小碟

27 咸菜	xiáncài	【名】	用盐腌制的萝卜等蔬菜。也指某些酱菜 salted vegetables; pickles
28 津津有味	jīnjīn yǒuwèi		形容特别有兴趣

谈得津津有味　看得津津有味　津津有味地议论着

29 外带	wàidài	【动】	又加上

◎ 过春节买年货，送亲友礼物，外带给孩子们压岁钱，得花不少。

◎ 店庆期间买电脑送小音箱、鼠标，外带一个电脑包。

30 火烧	huǒshao	【名】	烤熟的小的发面饼 baked wheaten cake
31 品尝	pǐncháng	【动】	（对饮食）仔细地辨别尝试；引申指体会

品尝红葡萄酒　品尝到成功的喜悦

| 32 泔水 | gānshuǐ | 【名】 | 淘米、洗菜、洗刷锅碗等用过的水 |
| 33 乐此不疲 | lè cǐ bù pí | | 对某事特别爱好而十分投入，不觉得疲倦 |

◎ 每到周末，他就起大早去古玩市场转转，乐此不疲。

| 34 上瘾 | shàng yǐn | | 过于爱好某种事物，难以放弃 |

打麻将容易上瘾　喝茶上了瘾

| 35 各色 | gèsè | 【形】 | （方言口语）特别（有贬义） |

◎ 这个人真各色。

| 36 野性 | yěxìng | 【名】 | 不顺从的性情 wild nature; unruliness |
| 37 火暴 | huǒbào | 【形】 | ① 暴躁；急躁 fiery; irritable |

火暴性子　脾气火暴的人

| | | | ② 旺盛；热闹；红火 vigorous; exuberant; lively |

火暴的武打场面　生意越做越火暴

| 38 泼辣 | pōlà | 【形】 | 有胆识，作风果断；勇猛 bold and vigorous; daring and resolute |

工作很泼辣　处理问题得泼辣一点儿

| 39 清淡 | qīngdàn | 【形】 | （颜色、气味）不浓 |

◎ 绿茶泡好后颜色比较清淡。
◎ 微风吹来，一阵阵清淡的荷花香气扑面而来。

| 40 温文尔雅 | wēn wén ěr yǎ | | 态度温和，举止文雅 refined and cultivated |

温文尔雅的态度　言谈举止温文尔雅

| 41 独具特色 | dú jù tèsè | | 具有与众不同的特点 |

◎ 这位设计师把传统与现代结合起来，使作品独具特色。

| 42 菜系 | càixì | 【名】 | 不同地区菜肴烹调在理论、方式、风味等方面具有独特风格的体系 cuisine; style of cooking of a particular area with distinctive characteristics of theory, method and taste |

◎ 据说中国有八大菜系。

| 43 概括 | gàikuò | 【动】 | 把事物的共同特点归结在一起；总括 summarize; generalize |

◎ 分组讨论之后，主持人把大家的意见概括为四个方面。
◎ 记者把新闻发布会的内容概括起来，写了一篇报道。

44 移民	yímín	【名】	迁移到外地或外国去落户的人 migrant; immigrant
45 五湖四海	wǔ hú sì hǎi		指四面八方，全国各地
46 远古	yuǎngǔ	【名】	遥远的古代

| 47 繁衍 | fányǎn | 【动】 | 逐渐增多或增广 multiply; increase gradually in number or quantity |

◎ 传说他家祖上是从山西迁到这里的，子孙繁衍，代代相传。
◎ 由于人们喜爱菊花，于是创造繁衍出许多珍奇的品种。

| 48 生息 | shēngxī | 【动】 | 繁殖（人口） |

◎ 经历了多年的战乱之后，汉朝初年实行了"休养生息"的政策。

| 49 交汇 | jiāohuì | 【动】 | 聚集到一起；会合 |

◎ 大运河在天津与海河交汇。

| 50 融合 | rónghé | 【动】 | 几种不同的事物合成一体 |

文化融合　民族融合

| 51 依然 | yīrán | 【副】 | （书面语）始终维持不变，或者虽有变化但是又回复到原来的状态 still; as before |

| 52 活力 | huólì | 【名】 | 旺盛的生命力 |

◎ 早上，公园里打太极拳的、跑步的，个个充满了活力。

| 53 融会 | rónghuì | 【动】 | 融合 |

◎ 他在这部小说中创作的母亲形象融会了他身边几位女性长辈的经历。

| 54 缺憾 | quēhàn | 【名】 | 不够完美，令人感到遗憾的地方 |

◎ 他在训练中受伤，没能参加比赛，真是一个缺憾。
◎ 故宫今天不对外开放，远道而来的参观者们不得不带着缺憾离开。

55 熔炉	rónglú	【名】	熔炼金属的炉子，比喻锻炼思想品质的环境
56 熔化	rónghuà	【动】	固体加热到一定温度变为液体
57 底蕴	dǐyùn	【名】	事物中包含的深层次的含义；内涵
58 乐不思蜀	lè bù sī Shǔ		指乐而忘返或乐而忘本 have much enjoyment and forget to go back

◎ 诗人被杭州的湖光山色迷住了，归期一再推迟，乐不思蜀了。

| 59 流连忘返 | liúlián wàng fǎn | | 留恋不舍，舍不得离去 enjoy oneself so much as to forget to go home |

| 60 口音 | kǒuyīn | 【名】 | 带有个人、地方、民族语言特征的话音 accent |
| 61 不知不觉 | bù zhī bù jué | | （常用做状语）没感觉 |

◎ 我们谈着谈着，三个小时的时间不知不觉过去了。
◎ 听到那首熟悉的歌曲，他不知不觉地跟着唱了起来。

| 62 构筑 | gòuzhù | 【动】 | 建造；修筑 construct (military works); build |

构筑新的长城

| 63 浓重 | nóngzhòng | 【形】 | （烟雾、气味、色彩等）很浓很重 |

香水的气味过于浓重　民族色彩浓重　说话带着浓重的口音

| 64 生猛 | shēngměng | 【形】 | （鱼虾等）鲜活的 |

◎ 生猛海鲜

| 65 风行一时 | fēngxíng yìshí | | 一段时间里像刮风一样地盛行，形容事物在某一段时间里非常流行 |

◎ 这种后跟笨重的鞋子曾经风行一时。

| 66 饮食 | yǐshí | 【名】 | 吃的和喝的东西 food and drink |

注意饮食卫生

| | | 【动】 | 吃东西和喝东西 eat and drink |

照顾孩子的饮食起居　考虑少数民族同学的饮食习惯

| 67 风味 | fēngwèi | 【名】 | 事物的特色，多指地方色彩的 special flavour; local colour (or flavour) |

地方风味　家乡风味　四川风味　风味小吃　风味饮食

| 68 兼容 | jiānróng | 【动】 | 同时接受几个方面 |

◎ 蔡元培任北大校长时，他的办学原则是：兼容并包。
◎ 这台计算机的操作系统不兼容。

| 69 展示 | zhǎnshì | 【动】 | 清楚地摆出来；明显地表现出来 |

展示最新的产品　展示制作工艺　展示人性中善良的一面

| 70 人文 | rénwén | 【名】 | 指人类社会的各种文化现象 cultural activities in human society |

人文科学　人文观念　人文景观　人文关怀

| 71 包容 | bāoróng | 【动】 | 宽容 pardon; forgive |

包容过去的对手　包容不同意见

| 72 尝试 | chángshì | 【动】 | 试 |

勇于尝试新事物　尝试各种方法

| | | 【名】 | 试验 |

◎ 这是一次大胆的尝试。

词语练习

一 根据拼音写出词语，然后把它们填在合适的句子里

> qīngdàn　páichǎng　pōlà　gèsè　nóngzhòng　piān'ài　huǒbào

1. 他从小就很（　　　　），不善和人交流，想法总是跟别人相反。
2. 一听到电话里那（　　　　）的东北口音，我就知道是老李了。
3. 北京小吃中，他最（　　　　）卤煮火烧，每次回国都要吃上几次。
4. 他是个无肉不欢的人，医生建议他饮食（　　　　）一点儿，他可受罪了。
5. 在工作中应该（　　　　）一些，总是犹豫不决可不行。
6. 昨天那位大明星跟北京的影迷见面，当时的场面相当（　　　　）。
7. 奶奶七十大寿，在大饭店举办了一次（　　　　）很大的寿宴。

> bāoróng　zhǎnshì　gòuzhù　pǐncháng　fányǎn
> wàidài　jiāohuì　chángshì　chōngdàn

8. 历史上多个民族曾经在这里生存过，共同（　　　　）了独具特色的文化传统。
9. 木渎（Mùdú）位于苏州城西南十公里处，胥江、香溪在这里（　　　　），四周是灵岩、天平、狮山、横山、尧峰等名山，风光秀丽，物产丰富，所以木渎有"聚宝盆"之称。
10. 我照着菜谱做了几个湖南菜，你们（　　　　）一下，看看味道怎么样。
11. 小镇上有几万人都姓李，他们自称是皇族的后代，一千多年前开始隐居在这个镇上，（　　　　）生息。
12. 大会主持人讲了个笑话，（　　　　）了会场上严肃的气氛。
13. 每天买菜做饭，收拾屋子，照顾老人，（　　　　）接送孩子上下学，我这个全职太太比职业妇女还忙！
14. 我们公司的年轻人都愿意去市场部工作，那儿的经理能（　　　　）不同的意见，给年轻人发展的机会。
15. 一进办公室，小王就给大家（　　　　）了她新买的手机。

16. 这位作家打算在他的下一部小说中（　　　　　）一种全新的表现手法。

■ 根据下列意思写出成语，并填空

A. 家家户户都知道　　　　　　　　　　　　　　　　　（　　　）
B. 酒也喝够了，饭也吃饱了　　　　　　　　　　　　　（　　　）
C. 特别爱好，因而不觉得疲倦　　　　　　　　　　　　（　　　）
D. 态度温和，举止文雅　　　　　　　　　　　　　　　（　　　）
E. 特别有兴趣　　　　　　　　　　　　　　　　　　　（　　　）
F. 在一段时间里非常流行　　　　　　　　　　　　　　（　　　）
G. 留恋不舍，舍不得离去　　　　　　　　　　　　　　（　　　）
H. 作恶犯罪的带头人　　　　　　　　　　　　　　　　（　　　）

1. 来参加面试的年轻人中有一个人眉清目秀，（　　　　　），一下子吸引了考官的注意。

2. 颁奖典礼上，那位明星穿了一身有民族特色的旗袍，很引人注目，后来这种旗袍（　　　　　）。

3. 朋友第一次来北京，我招待他吃了老北京涮羊肉，（　　　　　）之后，我们一起去王府井逛街。

4. 报上说那起抢劫银行案件的（　　　　　）日前已经被外地警方抓获。

5. 去年寒假，我和几个朋友一起去云南旅行，美丽的风景令我们（　　　　　）。

6. 雪花牌电冰箱曾经是中国（　　　　　）的名牌产品，后来却消失了。

7. 在外行人看来，语言学是一门枯燥的学科，可是我却（　　　　　）。

8. 我一向喜欢漂亮衣服，一拿到这几本时装杂志就放不下了，看得（　　　　　）。

■ 把课文中提到的食品名称总结一下，挑选一两样介绍介绍。在你的家乡有没有外地人不太习惯吃的食品？

1 好（hào）

● 山西人爱吃醋，无锡人好食甜，湖南、四川人喜辣椒，似乎已是家喻户晓的事情。

动词，喜欢，喜爱，口语词。跟"恶（wù）"相对。例如：

（1）形容一个人贪吃又懒，常用"好吃懒做"这个词。

（2）老大爷在外面好管闲事，遇到什么不合理的事情都要说几句。

（3）他就是好开玩笑，你别把他的话放在心上。

2 ……当数……

● 老北京的美食当数全聚德的烤鸭、东来顺的涮羊肉、六必居的酱菜、正明斋的糕点。

先提出一个范围，在这个范围内经过比较后得出结论。例如：

（1）古典小说中家喻户晓的当数《水浒传》《三国演义》《西游记》和《红楼梦》了。

（2）对我来说，到中国以后提高最快的当数听力和口语了。

（3）这些年对人们的生活影响最大的媒体当数网络了。

3 待到……之时

● 待到酒足饭饱之时，烤鸭上来了。

意思是"等到……的时候"。例如：

（1）小王每天熬夜赶写论文，待到论文完成之时，真怕他身体吃不消了。

（2）待到孩子们都长大了，独立生活之时，很多父母却产生了失落感。

（3）人总是对有些没发生的事情感到恐惧，待到真的面对之时，也就不那么恐惧了。

4 ……，A才怪呢

● 这时候吃烤鸭，没有肥腻感才怪呢！

在某种条件下，出现A是奇怪的，意思是出现和A相反或相对的情况是正常的。例如：

（1）你工作压力那么大，不失眠才怪呢！（出现失眠的情况是正常的）

（2）大后天就过年了，你现在才想起来订飞机票，能订到才怪呢！（订不到是正常的）

（3）弟弟整天坐在电脑前玩儿游戏、上网，眼睛不近视才怪呢！（眼睛近视了是正常的）

5　依然

● 到了现当代，北京依然是一个充满活力的移民城市。

　　副词，表示始终维持不变，或者虽有变化但是又回复到原来的状态，用于书面语。例如：

（1）虽然失败了，但是他依然保持着乐观的态度。

（2）附近又开了几家美发店，可是小王他们店的生意依然很好。

（3）毕业十多年了，他依然跟过去的同学们保持着密切的联系。

语言点练习

一　用所给的词语完成句子或对话

1. A：他从来不参加我们的周末聚会。

　　B：＿＿＿＿＿＿＿＿＿＿＿＿＿＿＿，嫌聚会太吵了。（好〈hào〉）

2. A：听说老王心脏出问题住院了。

　　B：是啊，＿＿＿＿＿＿＿＿＿＿＿＿＿，每次都喝得大醉。（好〈hào〉）

3. A：你去过很多地方，给你印象最深的是哪个地方呢？

　　B：＿＿＿＿＿＿＿＿＿＿＿＿＿＿。（当数）

4. A：听说你很会做菜，你的拿手菜是什么？

　　B：＿＿＿＿＿＿＿＿＿＿＿＿＿＿。（当数）

5. A：小王计划去西藏旅行已经好几年了，怎么老没动身？

　　B：＿＿＿＿＿＿＿＿＿＿＿＿。（待到……之时）

6. A：妹妹出国留学的事准备得怎么样了？

　　B：＿＿＿＿＿＿＿＿＿＿＿＿。（待到……之时）

7. A：这些天我老是心慌，有时候喘不过气来，头痛。

　　B：你工作那么忙，天天开夜车，＿＿＿＿＿＿＿＿＿＿＿＿＿。（……才怪呢）

8. A：孩子老不好好吃饭，一听说吃饭就烦。

　　B：他吃那么多零食，＿＿＿＿＿＿＿＿＿＿＿＿＿＿＿。（……才怪呢）

9. 十年前这个课题就被提出来了，如今，＿＿＿＿＿＿＿＿＿＿＿＿＿。（依然）

10. 老人走失了，家里人在报上登了寻人启事，又请警察帮忙，一个星期过去了，＿＿＿＿＿＿＿＿＿＿＿＿＿＿＿。（依然）

二　用本课学习的语言点回答问题

1. 在你的老家，人们的饮食习惯有什么特点？（好〈hǎo〉）

2. 在你们国家的美食中，最有特色的是什么？（当数）

3. 听说你买了新房子，什么时候搬家呀？（待到……之时）

4. 昨天接到妈妈的电话，她把我批评了一顿。（……才怪呢）

5. 手术之后，他的病有没有好转？（依然）

综合练习

一　熟读下面的句子，注意体会加点词的用法，并模仿造句

1. 外地人来访亲问友，北京人往往会请他们去吃烤鸭，但是外来客（其实也包括许多北京人）吃不出北京烤鸭的美味来。

2. 喝酒吃菜，待到酒足饭饱之时，烤鸭上来了。这时候吃烤鸭，没有肥腻感才怪呢！

3. 南城的老北京，特别是底层卖苦力的，如拉洋车的、扛大个儿的，尤喜喝豆汁。

4. 北京人就是各色，连他们的食品都是难以让人品尝、习惯。

5. 实际上，北京人既喜欢鲜辣的湘蜀菜，又接受浓重的鲁菜；粤风的生猛海鲜曾火暴京城，东北的蘑菇炖小鸡、猪肉粉条和松仁玉米也曾风行一时。

一　选词填空

尝试性	政治性	吸湿性	稳定性
创造性	基础性	逻辑性	熟练性

1. 纯棉材料的服装_____很好，适合夏季穿着。

2. 从事IT行业的人以_____强、精力充沛的年轻人为主。

3. 你的这番话一点儿_____都没有，简直是毫无道理。

4. 这部电影是_____的作品，导演希望用一种全新的方式表现人物内心的矛盾和冲突。

5. 很多大学提出要重点建设数学、物理等_____学科。

6. 名牌电脑出厂前都经过严格的检测，_____应该有保证。

7. 我认为听力是一种_____技能，听多了，水平自然会提高的，我不相信所谓的技巧。

8. 我的几个朋友对_____的话题特别有兴趣，讨论起来好像是在开人大会议。

三　回答下面的问题，然后把回答的内容写成一段小短文

1. 你有中国朋友吗？他们都是哪里的人？

2. 你知道中国的哪些地方？介绍一下那里的人的外貌、性格、语言、生活习惯、爱好等方面的特点。

3. 你觉得北京的哪些方面最吸引你？为什么？

4. 初次见面的中国朋友，你能一下子看出他是不是北京人吗？北京人的特点表现在哪些方面？

5. 请举出三位北京籍的名人，介绍一下他们的情况。

6. 你知道哪些中国菜？你认为各地不同的饮食习惯对人的性格有影响吗？

四　读下面的短文，把侯宝林说的一段北京土话翻译成普通话，然后说一说你还知道哪些北京土话

　　老北京胡同语言经常搀杂着北京土语。相声大师侯宝林说过一段北京土话："嗳，那天我瞧你去了。你没在家，我溜溜儿等你半天，你压

根儿也没回来。我一看褶子了，就撒丫子了。"这"瞜"，就是"看"；"溜溜儿"，是"整整"，有形容状态的意思；"压根儿"，是"根本"；"褶子了"，是"不行了""坏了事了"；"撒丫子"，是"走了""跑了""离开了"。

五 研究一下北京（或你现在居住的城市）的交通地图，找出一个你有兴趣的地名，设法查找一下这个地名的来历。

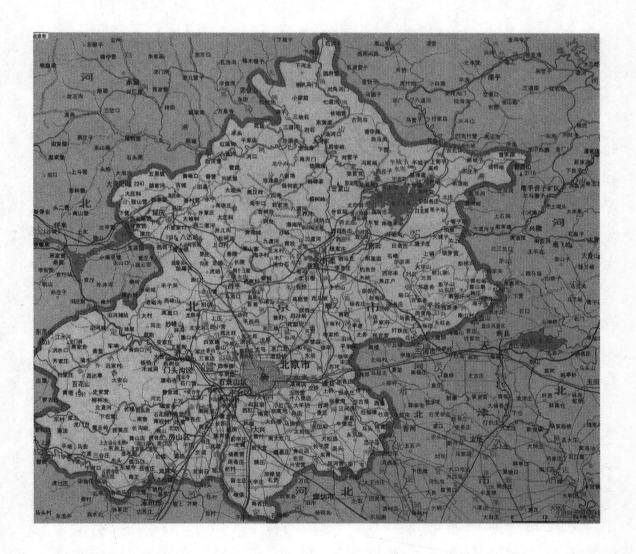

副课文

你的中国朋友中有没有来自中国东北的？你能说说东北人的特点吗？你知道东北话和普通话有什么区别吗？你能说出几样东北菜吗？有一首歌叫《东北人都是活雷锋》，请找来听一下。下面这篇副课文是关于东北人的。

东北人的家乡情结

东北人不愿远离故土是由来已久的。现在很多东北人的上一辈，或再往上数一两辈都是中原一带的移民。那时，多事的中原三天两头地闹灾荒，灾荒闹到一定程度，人们就无法生存了，于是大批的中原人一肩挑起全部家当，扶老携幼，向北，越过山海关，走向东北大地，在黑土地上开荒种地，繁衍生息。如今儿孙们早就已经成为纯正的东北人了。他们一生下来便接受了东北的寒冷与日晒，接受了东北的风雨和黑土地。他们讲着一口纯正的东北话，呵出的气都带着黄豆的腥味。

就是这一批一茬的东北人，终于在黑土地上的某个旮旯儿里找到了他们生存的空间，于是他们再也不愿意舍家离去了。他们的信条是，外面天堂一样的好，也不如家里的热炕头。爷辈们逃荒的经历和那种不愿意背井

情结 qíngjié （名）深藏在心底的感情

由来已久 yóulái yǐjiǔ 从发生到现在已经很长时间

中原 Zhōngyuán （专名）指黄河中下游地区，包括河南的大部分地区、山东的西部和河北、山西的南部

灾荒 zāihuāng （名）指自然灾害给人造成的损害

家当 jiādàng （名）家庭的财产

扶老携幼 fú lǎo xié yòu 扶着老人领着孩子。形容男女老少一齐出动

开荒 kāi huāng 把荒地开辟成可以种植的土地

纯正 chúnzhèng （形）不搀杂别的成分的 pure; unadulterated

呵 hē （动）呼（气）；哈（气）

腥 xīng （形）鱼虾等的难闻的气味

茬 chá （量）在同一块地上，作物种植一次或生长一次叫一茬，比喻指一代人或一批人

旮旯儿 gālár （名）狭窄偏僻的地方

舍 shě （动）放弃，离开

信条 xìntiáo （名）信守的准则 article of creed (or faith); creed; tenet

炕 kàng （名）用土或砖砌成的睡觉的地方，a heatable brick bed

逃荒 táo huāng 因遇灾荒而跑到外乡谋生

背井离乡 bèi jǐng lí xiāng 常指被迫远离家乡，到外地谋生

离乡的情结深深地浸进他们的骨子里，成为他们今日不愿意离开家门半步的理由。

东北人在黑土地上心满意足地开荒种地，过着老婆孩子热炕头的小日子。当年那些参加革命的，随队伍南下，一过山海关，便一步三回头，眼神里写满了对故土的留恋和思念。一俟战争结束，他们便想方设法回到东北，甚至舍弃高官厚禄，回到东北过平常百姓的日子。这在外人眼里不可理喻。在东北人的内心世界，他们有千万条理由回到家乡，因为只有家乡让他们心里踏实，在家乡，就是做的梦也是宁静祥和的。

最近这30年时间里，其他省份的人们，或南下或北上打工，寻找营生，在这些流动的人群里，却很难找到东北人的身影。并不是东北人的日子过得比其他省份的好，而是因为他们不愿意离开家乡。有些人也动过离家外出的想法，甚至也有人行动了，一旦到了外面，他们便开始思念了。这思念很具体，两间草房，一盘热炕，两个鸡窝，或者房后的两棵杨树。外面的世界让他们感到不真实、不亲切，在外面的夜晚里，他们时常睡不着觉，就是睡着了，也时常会在思乡的悲切哭声中惊醒。他们下了最

浸 jìn（动）（液体）渐渐渗入
骨子里 gǔzilǐ（名）比喻内心或实际上

心满意足 xīn mǎn yì zú 称心如意，非常满足

眼神 yǎnshén（名）眼睛的神态
留恋 liúliàn（动）不愿意舍弃或离开
俟 sì（动）等待
想方设法 xiǎng fāng shè fǎ 想尽办法
舍弃 shěqì（动）丢开；抛弃；放弃
高官厚禄 gāo guān hòu lù 官职高贵，俸禄优厚 high position with high pay
不可理喻 bùkě lǐyù 不能用道理使他明白

踏实 tāshi（形）（情绪）安定；安稳
宁静 níngjìng（形）（环境、心情）安静
祥和 xiánghé（形）吉祥和平 happy and auspicious
营生 yíngsheng（名）职业

一旦 yídàn（副）不确定的时间，表示有一天 once; in case; now that

悲切 bēiqiè（形）悲哀；悲痛 mournful; grieved

后的决心，买张单程票回家了。一回到家，他们的心安了，神静了。

东北人也想把日子过得更好一点，也想南下打工，吃点苦受点累不算什么，然而一离开家门，他们才发现，思念的心情压倒了一切雄心壮志。身在异乡的东北人因此脾气都很大，动不动找人打架，或者喝得大醉，那是因为他们思乡，又没有办法回去。所以他们才找茬发泄心中的苦闷，平息他们思乡的焦灼。出门在外的东北人，听不得别人讲东北的坏话，你要是说东北不好，他会脸红脖子粗地和你争执，甚至动拳和你干架。他们希望旁人看得起他们，和他们交朋友。一旦东北人把你当成了朋友，他会掏心挖肺地对你好，就是你欺骗了他，他也会认为你不是故意的：朋友嘛，咋能做出这样的事来？

不出家门的东北人一般都没有那么大的脾气，老实本分，日出而作，日落而息地生活。苦点没什么，累点没什么，只要让一家人守在一起，再苦的日子也是甜的。东北人离不开家门，他们和自己清贫的日子相守着。当他们在电视里看到成百上千的民工们聚在火车站的候车室里，争着抢着去挤火车时，他们在心里把这些民工嘲笑了一遍又一遍。他们为自己眼下的日子而感到满足，当劳累了一天，

雄心壮志 xióng xīn zhuàng zhì 远大的理想和抱负
异乡 yìxiāng （名）外乡；外地
动不动 dòngbudòng （副）表示很容易产生某种行动或情况（多指不希望发生的）
找茬 zhǎo chá 故意挑毛病
发泄 fāxiè （动）尽量发出
苦闷 kǔmèn （形）苦恼烦闷 depressed; dejected; feeling low
平息 píngxī （动）使平静或停止
焦灼 jiāozhuó （形）非常着急
脸红脖子粗 liǎn hóng bózi cū 形容着急、发怒或激动时面部颈部红涨
争执 zhēngzhí （动）争论中各自坚持自己的看法，不肯相让
干架 gàn jià 打架；吵架
掏心挖肺 tāo xīn wā fèi 指发自内心

咋 zǎ （代）怎；怎么

本分 běnfèn （形）安于所处的地位和环境 contented with one's lot
日出而作 rì chū ér zuò 太阳出来就开始工作
日落而息 rì luò ér xī 太阳下去就休息

清贫 qīngpín （形）贫穷

嘲笑 cháoxiào （动）用言辞笑话对方
眼下 yǎnxià （名）目前

从几亩地里往家走去时，远远地看见炊烟，听到了自家的鸡鸣狗吠，他感到这日子从容而又踏实。这就是东北人永远的家乡情结。

（作者：石钟山，原题目为《走不出家门的东北人》。有删改）

炊烟 chuīyān （名）烧火做饭时冒出的烟 smoke from kitchen chimneys

 副课文练习

一 根据副课文选择正确答案

1. 下面哪一项不是东北的特点？

    A. 三天两头闹灾荒，人们无法生存

    B. 很多居民是从中原一带迁移来的

    C. 位于山海关以北，有大片黑土地

    D. 盛产黄豆，当地的方言粗犷豪迈

2. "一步三回头"是说东北人_____。

    A. 担心未来　　　B. 回忆过去　　　C. 难离故乡　　　D. 怀念家人

3. 离开家乡的东北人遇到的最大的困难是什么？

    A. 吃苦受累　　　B. 思念故土　　　C. 失眠焦虑　　　D. 水土不服

4. "掏心挖肺"是形容东北人_____。

    A. 周到　　　　　B. 真诚　　　　　C. 粗鲁　　　　　D. 凶恶

5. 下面哪个词最适合形容在东北的东北人？

    A. 满足　　　　　B. 保守　　　　　C. 苦闷　　　　　D. 骄傲

6. 关于东北人，下面哪一项正确？

    A. 愿意当平常百姓，不愿意做官

    B. 愿意开荒种地，不愿意当兵

    C. 脾气不好，喝酒打架

    D. 留恋故土，安于清贫

二 熟读下面的成语，从中选择三个造句
扶老携幼　　背井离乡　　心满意足　　想方设法
高官厚禄　　不可理喻　　雄心壮志　　日出而作

三 分组讨论
1. 东北人为什么不愿意离开家乡？
2. 中国北方人和南方人在生活习惯、外貌和性格上有哪些不同？你更喜欢和南方人还是北方人相处？
3. 在你们国家，不同地区的人有什么不同特点？

阳光与月色

准备

　　这是一篇散文，作者用拟人化的笔调，描写家里的两只宠物猫，赋予了两只猫以鲜明的个性。请预习课文，并试着回答下面的问题。

1. "阳光"与"月色"分别指的是什么？
2. 家里人对待两只小猫的态度有什么不同？
3. "艺术家"指的是谁？"哲学家"呢？

4. 四五年后，家里人对红红和黑黑的看法起了哪些变化？
5. "我"和黑黑之间是如何交流的？

课文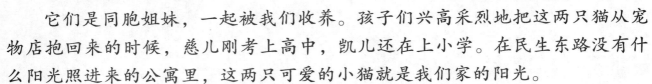

人有不同个性，猫，**又何尝**不是？

从小到大，养了不少只猫，只是相处的时间都不能算长，所以并没有仔细观察。

黑黑与红红是最特殊的一对。

它们是同胞姐妹，一起被我们收养。孩子们兴高采烈地把这两只猫从宠物店抱回来的时候，慈儿刚考上高中，凯儿还在上小学。在民生东路没有什么阳光照进来的公寓里，这两只可爱的小猫就是我们家的阳光。

不，也许应该说，是阳光与月色。

红红从小就非常热情天真，对主人总是充满了信心，无论玩什么游戏，都全力以赴。那一双无邪的眼睛睁得大大的，直视着你，常常使想要恶作剧耍弄一下这只小猫的我们，忽然间心虚起来，**不禁**满怀歉疚地把它抱起，好好抚慰一番。

但是，黑黑却完全不同，它从来不会上当。游戏一开始，它就退缩到旁边作壁上观，与天真热情的红红相比，显得非常冷漠。甚至有时候把它抱在怀里，轻轻顺它的毛，它发出的呼噜呼噜的声音也比红红的要微弱许多。

因此，不知不觉间，我们全家人都喜欢和红红玩耍，有时候逗弄，有时候拥抱。我还喜欢用录音机录下它呼噜的声音，在电话里放给朋友听，大家也常常会问："你们家那只'艺术家'近况如何？"

所以，虽然是一样地喂养，一样在有客人来时出来介绍一下，然而，如今回想起来，**被我们称做**"哲学家"的黑黑，在幼年时期，确实是有点被冷落了。

隔了四五年，到女儿已经读大学了，才慢慢感觉到了黑黑内在的热情。

那时候，在复兴南路附近租了一间公寓。孩子们功课都很重，凯儿也上高中了。晚上两姐弟各自在书桌前做那永远也做不完的功课，黑黑和红红就**各自**认定一个小主人，蹲坐在他们附近，有时候是在椅子旁边，有时候是在台灯下面，陪他们度过漫漫长夜。

红红的陪伴就只是陪伴而已，一只逐渐变胖的猫躺在脚旁或是眼前，安心地睡觉，不过就只是这样一种宁静与温暖。

黑黑的陪伴却不一样，它常常会很关切地注意着我的女儿，凝神看她书写，看她沉思。

有一天晚上，半夜醒来，发现慈儿好像还没睡，我打开她房间的门，看到她抱着黑黑站在窗前。她的眼神是凝视着窗外的树，而怀中的黑黑那晶亮的双眸却是在凝视着她，一面低声地呼噜着。

慈儿转过头来对我微笑，她说："妈妈，我睡不着，黑黑好像知道，就站在房门口咪咪地叫。我把它抱起来，它就这样呼噜着一直看着我。我觉得它好像是想要来安慰我似的。"

真的好像是这样，我们有了一只在晚上特别善解人意的猫。

孩子们慢慢长大了，有人住校，有人搬到外面去住，家里只留下了丈夫和我。我常常熬夜写稿，在这样的晚上，红红通常已经到它的小窝里去睡了，黑黑却一定会跟在我的身边，很关切地注意着我。

家已经搬到淡水，在这个小山坡上，有时候夜里的月光非常清朗，让人舍不得入睡。我常会站在阳台上贪看那如水的月色，**远远近近**的相思树被月亮照得树影参差。这个时候，黑黑就会追踪前来，在我脚旁依靠缠绕。等我把它抱在怀里，它就开始呼噜起来。而我知道，只要低头看它，那双圆圆晶亮的眸子就一定正在注视着我，充满了了解与同情。

谁说沟通一定需要通晓人言兽语？其实，那沉默的肢体表情可以有千万种不同的变化，可以传递极其细微的讯息。黑黑，这只与我们共处了十一年的猫，就是这样与我们交谈的。

每当月色如水，在有风的阳台上，人和猫常常是这样安静地站着，彼此静静地传达着许多讯息，关于温暖、关于愉悦，以及，关于寂寞……

（作者：席慕蓉。有改动）

● 注释

席慕蓉（Xí Mùróng），台湾著名散文家、诗人。全名穆伦·席连勃，蒙古族。1943年生于四川重庆。毕业于台湾师范大学艺术系及比利时布鲁塞尔皇家艺术学院。著有诗集《七里香》《无怨的青春》《时光九篇》，散文集《有一首歌》《画出心中的彩虹》等。

词语表

| 1 个性 | gèxìng | 【名】 | 个人特有的气质、兴趣、性格等心理特点的总和 |

◎ 她个性太强，很少听别人的意见。◎ 这份设计有着鲜明的个性。

| 2 何尝 | hécháng | 【副】 | 用反问的语气表示未曾或并非 |
| 3 相处 | xiāngchǔ | 【动】 | 生活在一起；接触来往，互相对待 |

和同屋友好相处　容易相处的人　相处了一段时间

| 4 同胞 | tóngbāo | 【名】 | ① 同父母所生的 |

同胞兄弟　同胞姐妹

② 同一个国家或民族的人

◎ 全国同胞积极参加救助灾民的活动。

| 5 收养 | shōuyǎng | 【动】 | 把别人的儿女当做自己家里的人来抚养 |

收养孤儿　被亲戚收养

6 兴高采烈	xìng gāo cǎi liè		兴致和情绪非常高昂热烈，十分愉快
7 宠物	chǒngwù	【名】	指家庭里养的受人喜爱的小动物，如猫、狗等
8 从小	cóngxiǎo	【副】	从年纪小的时候

◎ 他从小就喜欢足球。◎ 妹妹从小就特别懂事。

| 9 全力以赴 | quán lì yǐ fù | | 把全部的力量都投进去，表示非常重视 |

◎ 同学们正在全力以赴地准备考试。

◎ 公司上下全力以赴，争取尽早完成这项设计。

| 10 恶作剧 | èzuòjù | 【动】 | 捉弄耍笑，使人难堪 a practical joke; prank; mischief |

◎ 他总是恶作剧，欺负同学，很讨厌。

| 11 耍弄 | shuǎnòng | 【动】 | 拿人开玩笑，使人为难 make fun of; make a fool of |

耍弄老实人　耍弄小孩儿　受人耍弄

| 12 心虚 | xīnxū | 【形】 | ① 做错了事怕人知道 afraid of being found out; with a guilty conscience |

◎ 他说了谎话，很心虚。

② 缺乏自信心 lacking in self-confidence; diffident

◎ 第一次讲课，谁都免不了有点儿心虚。

| 13 满怀 | mǎnhuái | 【动】 | 心中充满 |

满怀信心　满怀喜悦　满怀歉意

14 歉疚	qiànjiù	【形】	觉得对不起别人，为自己的过失感到不安

◎ 他帮不上朋友的忙，深感歉疚。 ◎ 我怀着歉疚的心情跟朋友解释。

15 抚慰	fǔwèi	【动】	（书面语）安慰 comfort; console; soothe

抚慰伤心的人　抚慰病人

16 作壁上观	zuò bì shàng guān		别人交战，自己站在营寨的高墙上观看。比喻不参与，在旁边观望

◎ 妈妈和女儿争论时，父亲总是作壁上观。

17 退缩	tuìsuō	【动】	向后退；因为害怕不敢向前

◎ 他性格内向，遇到当众发言的情况就退缩了。

◎ 面对高大凶恶的歹徒，警察没有退缩不前。

18 冷漠	lěngmò	【形】	冷淡，不关心

神情很冷漠　冷漠的态度

19 微弱	wēiruò	【形】	小而弱

◎ 蜡烛烧到头了，火光越来越微弱。

◎ 病人气息微弱，医生们正在紧急抢救。

20 玩耍	wánshuǎ	【动】	玩儿；游戏

开心地玩耍　供孩子玩耍的草地

21 逗弄	dòunong	【动】	引逗；作弄；耍笑 tease; kid; make fun of

◎ 他喜欢逗弄小孩子。 ◎ 老板没批评你，这个家伙逗弄你呢。

22 近况	jìnkuàng	【名】	最近一段时间的情况

◎ 我刚给弟弟写了一封信，谈了家里的近况。

23 喂养	wèiyǎng	【动】	给幼儿或动物东西吃，照顾其生活，使能成长 feed; raise; keep

科学地喂养婴儿　喂养宠物

24 幼年	yòunián	【名】	小孩三岁左右到十岁左右的时期
25 内在	nèizài	【形】	① 存于内心，不表现在外面

◎ 跟他相处久了，你会感受到他内在的真诚。

② 事物本身所固有的 inherent; intrinsic

◎ 语言受社会发展的影响，但也有其内在的规律。

26 漫漫	mànmàn	【形】	形容时间或距离非常长

长夜漫漫　漫漫旅途

27 陪伴	péibàn	【动】	跟随做伴 accompany; keep sb. company

周末回家陪伴母亲

28 宁静	níngjìng	【形】	（环境、心情）安静

◎ 大批旅游者的到来破坏了这里的宁静气氛。

◎ 离婚两年后，她的心情才一点儿一点儿地宁静下来。

29 关切	guānqiè	【动】	关心

对老人的生活非常关切　关切地询问同事的病情

◎ 社会各界人士十分关切残疾人的生存状况。

30 凝神	níngshén	【动】	聚精会神 with concentrated attention

凝神思索　凝神倾听

31 书写	shūxiě	【动】	（书面语）写

请用钢笔书写　书写大幅标语　书写动人的诗篇

32 眼神	yǎnshén	【名】	眼睛的神态 expression in one's eyes

◎ 他的眼神透露出内心的矛盾。

◎ 服务员打量了一下面前衣服破旧的客人，眼神里透出冷漠。

33 凝视	níngshì	【动】	聚精会神地看 gaze fixedly; stare

凝视着窗外美妙的风景　凝视着墙上的画儿

34 双眸	shuāngmóu	【名】	两只眼睛

明亮的双眸

35 善解人意	shàn jiě rén yì		善于体会别人的想法或心情

36 熬夜	áo yè		深夜不睡觉或整夜不睡觉

熬了一夜　熬夜写论文

37 窝	wō	【名】	鸟兽、昆虫住的地方 nest
38 山坡	shānpō	【名】	山顶与平地之间的倾斜面 hillside; mountain slope
39 清朗	qīnglǎng	【形】	清净明亮 clear and bright

清朗的月色　双眼清朗有神

40 入睡	rùshuì	【动】	睡着（zháo）go to sleep; fall asleep

◎ 爸爸工作压力大，晚上很难入睡。

◎ 她看了一个恐怖电影，紧张得一夜不曾入睡。

41 贪	tān	【动】	越多越好，不知满足 have an insatiable desire for

贪玩儿　贪吃　贪睡　贪杯

42 参差	cēncī	【形】	长短、高低、大小不一致

树木参差错落　水平参差不齐

43 追踪	zhuīzōng	【动】	按踪迹或线索追寻 follow the trail of; track; trace

◎ 警察已经追踪到了那个罪魁祸首。

◎ 他按照当年报纸上的消息，追踪访问了几位当事人。

44	缠绕	chánrào	【动】	条状的物体围绕在别的物体上 twine; bind; wind
				◎ 他的脖子上很随便地缠绕着一条格子围巾。
45	眸子	móuzi	【名】	（书面语）指眼睛
46	沟通	gōutōng	【动】	使两方能通连 link up; bridge; connect
				◎ 他与父母在思想上缺乏沟通。
47	通晓	tōngxiǎo	【动】	详尽而深入地了解 thoroughly understand; be well versed in; be proficient in
				通晓多个民族的语言　通晓古代诗词
48	肢体	zhītǐ	【名】	四肢，也指四肢和躯干 limbs; limbs and trunk
49	传递	chuándì	【动】	由一方交给另一方
				传递消息　传递奥运会的火炬
50	讯息	xùnxī	【名】	消息；信息

词语练习

一　根据拼音写出词语，然后把它们填在合适的句子里

> xīnxū　　qiànjiù　　guānqiè　　dòunong　　zhuīzōng　　tōngxiǎo

1. 老王的失误给公司造成了很大的损失，他满怀（　　　）地写了辞职信。

2. 他才一岁，小脸圆圆胖胖的，每个人都忍不住（　　　）他一番。

3. 记者对这起事故进行了（　　　）报道，使人们了解了事故的原因、过程和后果。

4. 孩子对老师说了假话，（　　　）极了，不敢抬头。

5. 叶教授（　　　）多种语言，尤其精通英语和德语。

6. 妈妈（　　　）地抚摸孩子的额头，看看孩子的烧退了没有。

> chǒngwù　　yòunián　　yǎnshén　　zhītǐ　　xùnxī

7. 他生于书香之家，从（　　　）起就受到了良好的教育。

8. 舞蹈演员通过丰富的（　　　）语言表达人物的内心世界。

9. 公司突然宣布人事改革，事先没透露一点儿（　　　），员工们都大吃一惊。

10. 听说有人居然把蛇当做（　　　　），养在家里。

11. 妻子没说什么，但（　　　　）里流露出失望的情绪。

二　根据下列意思写出词语，并填空

A. 把全部的力量都投进去　　　　　　　　　　　　　　　　　　（　　　　）

B. 最近一段时间的情况　　　　　　　　　　　　　　　　　　　（　　　　）

C. 两只眼睛　　　　　　　　　　　　　　　　　　　　　　　　（　　　　）

D. 聚精会神地看　　　　　　　　　　　　　　　　　　　　　　（　　　　）

E. 存于内心　　　　　　　　　　　　　　　　　　　　　　　　（　　　　）

F. 不参与，在旁边观望　　　　　　　　　　　　　　　　　　　（　　　　）

1. 爷爷＿＿＿＿＿＿着故宫雄伟的建筑，思绪已经飘到了古老的年代。

2. 机关里人际关系很复杂，我建议你对别人的争斗＿＿＿＿＿＿。

3. 公司上下＿＿＿＿＿＿，力争高质量地完成这个项目。

4. 这位导演在选择演员时，更注重＿＿＿＿＿＿的气质。

5. 那个姑娘的＿＿＿＿＿＿像阳光下的清泉，明亮动人。

6. 小陈，你好！＿＿＿＿＿＿如何，望来信告知。

三　在B栏中找出A栏动词的解释，并把A栏中的动词填入合适的句子中

A	B
陪伴	心中充满
喂养	使心情安静而舒服
传递	越多越好，不知满足
满怀	向后退
贪	写
书写	把别人的儿女当做自己家里的人来抚养
收养	给幼儿或动物东西吃，照顾其生活，使能成长
抚慰	跟随做伴
玩耍	由一方交给另一方
退缩	玩儿；游戏

1. 他幼年时父母双亡，邻居_____了他，对他像亲生儿子一样。

2. 听说这家公司要招聘秘书，中文系毕业的她_____期望地递上了求职信。

3. 让孩子_____家里的小动物可以培养孩子的责任心。

4. 下雪了，孩子大人一起堆雪人，开心地_____。

5. 孩子哭着回了家，父母忙着把她_____了一番。

6. 客户严格的要求并没有使设计师_____，相反倒激起了他创作的欲望。

7. 爷爷八十岁生日，孝顺的孙子请书法家_____了一幅"寿"字。

8. 车上人太多，请中间的乘客把车票_____给那位买票的乘客。

9. 老王太_____杯，常常喝得酩酊大醉。

10. 为了准备考试，他每天过着寂寞的日子，_____他的，只有书本和电脑。

语言点

1 何尝

● 人有不同个性，猫，又何尝不是？

副词，用反问的语气表示否定，语气比较委婉，意思是"不曾""并不是""难道"，书面语。需要注意的是，"何尝"用在肯定形式前，表示否定；用在否定形式前，表示肯定。例如：

(1) 这些年离家在外国，我何尝忘记过家乡的山山水水？（我没有忘记过）

(2) 他何尝不想帮助朋友，但是经济条件不允许。（他想帮助朋友）

(3) 大家的要求，我何尝没考虑过？但我的难处，大家能体会吗？（我考虑过）

2 不禁

● 不禁满怀歉疚地把它抱起，好好抚慰一番。

表示控制不住，忍不住。句子的主语只能是人。例如：

(1) 想起当年母亲吃了那么多苦，孩子们不禁流下眼泪。

（2）她得知自己考试通过后，不禁欢呼雀跃。

（3）小王一问这套衣服的价钱，相当于自己三个月的工资，不禁吐了吐舌头。

注意："不禁"后面一般不能跟单个动词。例如：

×他不禁哭

×我不禁喊

×孩子高兴得不禁跳

应改为：

他不禁哭了起来

我不禁喊了一声

孩子高兴得不禁跳了起来

3　被称做

● 被我们称做"哲学家"的黑黑，在幼年时期，确实是有点被冷落了。

这个格式是一个被动式，如果需要介绍出施事，应放在"被"之后。例如：

（1）小王有主见，头脑灵活，被称做"点子大王"。

（2）被称做"主妇好帮手"的新式电饭锅终于上市了！

（3）他是年轻一代体操运动员中的佼佼（jiǎojiǎo/above average; outstanding）者，被媒体称做"领军人物"。

4　各自

● 黑黑和红红就各自认定一个小主人，蹲坐在他们附近。

代词，各人自己。例如：

（1）朋友们一起去逛街，各自买了满意的东西。

（2）吃完晚饭后，两个弟弟各自陪伴着自己的妻子回家了，我一个人去了酒吧。

（3）毕业后他们在各自的研究领域中不断努力，都取得了很好的成绩。

5　形容词重叠

● 我常会站在阳台上贪看那如水的月色，远远近近的相思树被月亮照得树影参差。

单音节形容词的重叠形式是"AA"式，如：红红、轻轻；双音节形容词AB的重叠形式是"AABB"式，如：高高兴兴、漂漂亮亮。重叠的形容词可以在句子中做定语、状语、谓语、补语，一般和"的"或"地"连用。例如：

（1）小叶喝了杯浓浓的咖啡，又精神百倍地开始工作了。

（2）李大伟接了电话，就匆匆忙忙地赶过来了。

（3）这些天不知道怎么了，老郭心里总别别扭扭的。

（4）巧手的主妇把家里收拾得舒舒服服的。

注意：重叠后的形容词不能受程度副词修饰，也不能用"不"否定。例如：

（1）×很认认真真的学生

（2）×天气特别凉凉快快

（3）×不高高大大

语言点练习

一 用所给的词语完成句子或对话

1. A：你在政府机关工作，端的是铁饭碗，比我们在公司干轻松多了。

   B：我们天天加班到半夜，＿＿＿＿＿＿＿＿＿＿＿＿＿。（何尝）

2. A：这位大导演的上一部电影水平很低，内容很无聊，只是场面挺大。

   B：＿＿＿＿＿＿＿＿＿＿＿＿＿，拍些漂亮场面，再找几个大明星，又是一部新电影。（何尝）

3. 几个好朋友好不容易聚在一起，＿＿＿＿＿＿＿＿＿＿＿＿＿。（不禁）

4. 他是个球迷，一听说有球赛，＿＿＿＿＿＿＿＿＿＿＿＿＿。（不禁）

5. A：王海篮球打得怎么样？

   B：他可是我们篮球队的主力队员，＿＿＿＿＿＿＿＿＿＿＿＿＿。（被称做）

6. 市中心广场上的雕像＿＿＿＿＿＿＿＿＿＿＿＿＿。（被称做）

7. 晚上我跟几个同事一起吃了晚饭，又喝了茶，＿＿＿＿＿＿＿＿＿＿＿＿＿。（各自）

8. 五位过路人目击了这起交通事故，警察赶来时，＿＿＿＿＿＿＿＿＿＿＿＿＿。（各自）

二　用本课学习的语言点回答问题

1. 母亲一个人住在乡下，生活不方便，为什么不接来和你们同住呢？（何尝）

2. 刚才大伙还有说有笑的，怎么一提起老板，气氛就变了？（不禁）

3. 听说李大伟是你们报社最棒的记者，是吗？（被称做）

4. 美发师是怎么给你们设计发型的？（各自）

三　仿照例子，将下列词组扩展成五小段话：

例如：大大方方地表演

→听说小李是安徽人，大家就让她唱一段安徽的地方戏——黄梅戏。小李没推辞，大大方方地表演了一段。

1. 详详细细地解释

2. 糊糊涂涂地签了字

3. 清清爽爽的发型

4. 倔倔的性格

5. 走得慌慌张张的

综合练习

一　熟读下面的话，注意体会加点词的用法，并模仿造句

1. 人有不同个性，猫，又何尝不是？

2. 这两只可爱的小猫就是我们家的阳光。不，也许应该说，是阳光与月色。

3. 红红从小就非常热情天真，对主人总是充满了信心，无论玩什么游戏，都全力以赴。

4. 黑黑与天真热情的红红相比，显得非常冷漠。甚至有时候把它抱在怀里，轻轻顺它的毛，它发出的呼噜呼噜的声音也比红红的要微弱许多。

5. 虽然是一样地喂养，一样在有客人来时出来介绍一下，然而，如今回

想起来，被我们称做"哲学家"的黑黑，在幼年时期，确实是有点被冷落了。

6. 红红的陪伴就只是陪伴而已，一只逐渐变胖的猫躺在脚旁或是眼前，安心地睡觉，不过就只是这样一种宁静与温暖。

7. 谁说沟通一定需要通晓人言兽语？其实，那沉默的肢体表情可以有千万种不同的变化，可以传递极其细微的讯息。

二 回答下面的问题，然后把回答的内容写成一段小短文

1. 我们家什么时候收养了红红和黑黑？
2. 红红有什么特点？
3. 黑黑有什么特点？
4. 幼年时期，红红和黑黑哪一个更受宠爱？为什么？
5. 到我家四五年后，我们对红红和黑黑的看法起了哪些变化？
6. 在夜里，黑黑如何与主人交流？而红红呢？

三 试着把下列各组句子合并为一个

例：在民生东路的公寓里，这两只可爱的小猫就是我们家的阳光。

民生东路的公寓没有什么阳光照进来。

→在民生东路没有什么阳光照进来的公寓里，这两只可爱的小猫就是我们家的阳光。

1. 红红常常使我们忽然间心虚起来。

我们想要恶作剧耍弄一下这只小猫。

2. 如今回想起来，黑黑在幼年时期，确实是有点被冷落了。

黑黑被我们称做"哲学家"。

3. 晚上两姐弟各自在书桌前做功课。

功课多得永远也做不完。

4. 真的好像是这样，我们有了一只猫。

这只猫在晚上特别善解人意。

四 请你的中国朋友给你讲一个和猫有关的故事，并把这个故事记录下来。

泪的重量

　　轻的泪，是人的泪；而动物的泪，却是有重量的泪。

　　那是一种发自生命深处的泪，是一种比金属还要重的泪。也许人的泪中还含有虚伪，还有个人恩怨，而动物的泪里却只有真诚；也只有动物的泪，才更是震撼人们魂魄的泪。

　　第一次看到动物的泪，我几乎是被那一滴泪珠惊呆了。本来，我以为泪水只为人类所专有，但是，直到真的看到了动物的泪，我才相信动物也和人一样，它们也有悲伤，更有痛苦。只是它们因为没有语言，或者是人类还不能破译它们的语言，所以，当人们看到动物的泪水时，才会为之感到惊愕。直到此时，人们才会相信，动物原来更有一种为人类所不理解的无声的哀怨。

　　我第一次看到动物的泪，是我家一只老猫的泪。这只老猫已经在我家许多许多年了，也不知它生下了多少子女，也不知它已经是多大的年纪，只知道它已经成了我们家庭的一个成

含有 hányǒu（动）包含；包括
虚伪 xūwěi（形）不真实；不实在
恩怨 ēnyuàn（名）恩惠和仇恨
　　gratitude and resentment
真诚 zhēnchéng（形）真实诚恳；没有
　　一点虚假
震撼 zhènhàn（动）震动；摇撼
　　shake; shock; vibrate
魂魄 húnpò（名）指在人体内可以脱
　　离人体存在的精神 soul

悲伤 bēishāng（形）伤心难过

破译 pòyì（动）识破并翻译出获得的
　　未知信息，如密码、古代文字等
　　decode; decipher
惊愕 jīng'è（形）吃惊而发愣 stunned;
　　stupefied

哀怨 āiyuàn（形）因委屈而悲伤怨恨
　　aggrieved; resentful

员。我们全家人每天生活的一项重要内容就是和它在一起戏耍。在它还是一只小猫的时候,我们引得它在地上滚来滚去。后来,它渐渐地长大了,我们又把它抱在怀里好长好长时间地抚摸它那软软的绒毛。也许我们和它亲热得太多了,它已经一天也离不开我们的抚爱。无论是谁,只要这一天没有摸它一下,就是到了晚上,它也要找到那个人,然后就无声地卧在他的身边,等着他的亲昵,直到那个人终于抚摸了它,哪怕只是一下,这时它也会心满意足地慢慢走开,就好像是它为此感到充实,也为此感到幸福。

只是,多少年过去,这只老猫已经太老了,一副老态龙钟的样子,行动已经变得缓慢。尽管到这时我们全家人还是对它极为友善,但,也不知是一种什么感应,这只老猫渐渐地就和我们疏远了。它每天只是在屋檐上卧着,无论我们如何在下面逗引它,它也不肯下来。有时它也懒懒地向我们看上一眼,但随后就毫无表情地又闭上了眼睛。

母亲说,这只老猫的寿限就要到了。也是人类的无情,我们一家人最担心的,却是怕它死在一个不为人知的角落,我们怕它会给我们带来麻

成员 chéngyuán(名)集体或家庭的组成人员
戏耍 xìshuǎ(动)玩耍

抚摸 fǔmō(动)用手轻轻地来回摸
绒毛 róngmáo(名)又短又柔软的毛

抚爱 fǔ'ài(动)照料;爱护

卧 wò(动)躺下

亲昵 qīnnì(形)十分亲密

老态龙钟 lǎotài lóngzhōng 形容人年老体弱,行动迟缓、不灵活的样子
极为 jíwéi(副)表示程度达到最高点
友善 yǒushàn(形)朋友之间亲近和睦
感应 gǎnyìng(名)因为受外界影响而引起相应的感情或动作
疏远 shūyuǎn(形)关系、感情上有距离;不亲近
屋檐 wūyán(名)房顶伸出墙外的部分 eaves
逗引 dòuyǐn(动)用言语行动逗弄

寿限 shòuxiàn(名)生命的期限

烦。就这样每天每天地观察，我们只是看到这只老猫确实是一天一天地更加无精打采了，但它还是就在屋檐下、窗沿上静静地卧着，似在睡，又似在等着那即将到来的最后日子。也是无意间的发现，那是我到院里去做什么事情的时候，我只是看见这只老猫在窗沿上卧得太久了，就过去想看看它是睡着，还是和平时一样地在晒太阳。但在我靠近它的时候，我却突然发现，就在这只老猫的眼角处，凝着一滴泪珠。看来这滴泪已经在它的眼角驻留得太久了，已经被阳光晒得活像一颗琥珀，一动不动，就凝在眼角边，还在阳光下闪出点点光斑。

　　"猫哭了。"不由己地，我向房里的母亲喊了一声。立即，母亲就走了出来，她似是要给这只老猫一点最后的安慰。谁料这只老猫一看到母亲向它走了过来，立即挣扎着站了起来，用出最后的一点力气，一步一步地向屋顶爬了上去。这时，母亲还尽力想把它引下来，也许是想给它一点最后的食物，但这只老猫头也不回地，就一步一步地向远处走去了，走得那样缓慢，又走得那样的沉重。

　　直到这时，我才发现，是我们对它太冷酷了。它在我们家活了一生，我们还是怕它就在我们家里终结生命。我们总是盼着它在生命的最后时

无精打采 wú jīng dǎ cǎi 形容不高兴，精神不振
似 sì（动）仿佛；好像
窗沿 chuāngyán（名）窗台

凝 níng（动）由气体变成液体或由液体变成固体

驻 zhù（动）停留

活像 huóxiàng（动）极像
琥珀 hǔpò（名）松柏树脂的化石 amber
光斑 guāngbān（名）特别明亮的斑点 facula

挣扎 zhēngzhá（动）用力支撑

尽力 jìn lì 用尽力量

冷酷 lěngkù（形）冷淡无情
终结 zhōngjié（动）最后结束

刻，能够自己走开，无论是走到哪里，也比留在我们家强。最先我们还以为是它不肯走，怕它还要向我们索要最后的温暖，但是我们估计错了，它只是在等着我们最后的送别；而在它发现我们已经感知到它要离开我们的时候，它只是流下了一滴泪，然后就悄无声息地走了，走到不知什么地方去了。

很久很久，我总是不能忘记那滴眼泪。那是一种最真诚的眼泪，是一种留恋生命，又感知到大限到来的泪水。动物不像人类，人类总是对自己存一种侥幸，他们总是希望那种对于每一个人都是不可避免的最终结局，会在自己身上出现奇迹。也是我们人类过于贪恋生命，所以我们总是给爱我们的人留下痛苦。倒是动物对此有它们自己的情感，它们只给人们留下自己的情爱，然后就含着一滴永远的泪珠向人们告别，而又把最后的痛苦由自己远远地带走。

动物的泪是圣洁的，它们不向人类索求回报。

（作者：林希。有改动）

索要 suǒyào （动）要

送别 sòngbié （动）送行
感知 gǎnzhī （动）感觉

大限 dàxiàn （名）死亡的期限

侥幸 jiǎoxìng （形）由于偶然的原因而得到成功或免去灾害
结局 jiéjú （名）最后的结果；最终的局面
贪恋 tānliàn （动）十分留恋

情感 qínggǎn （名）感情

圣洁 shèngjié （形）神圣而纯洁 holy and pure
回报 huíbào （动）报答

副课文练习

一　根据副课文回答下面的问题

1. "我"为什么认为动物的泪比人的泪更有震撼力？

2. 猫老了以后，对待家里人的态度有什么变化？为什么会出现这种变化？

3. 家里人担心什么？为什么？

4. 发现老猫流泪时，"我"有什么反应？母亲呢？

5. 老猫最后去了哪里？它为什么选择离开？

6. 对于生命的终结，人和动物的反应有什么不同？

二　把副课文中出现的形容词找出来，并选择适当的填入下面的句子中

1. 父亲去世一年多了，家里人还没有摆脱_____的情绪。

2. 他正在家里养伤，动作十分_____。

3. 母爱是天下最_____的感情。

4. 这个人很_____，从来不表露自己真实的想法。

5. 小说里的主人公是个_____的人，为了自己的前途，不惜抛弃妻儿。

6. 他是个热心人，无论谁遇到困难，他都_____地帮助。

7. 听到王大爷突然去世的消息，邻居们都感到_____。

8. 母亲退休后上了老年大学，日子过得很_____。

9. 刚到国外时，同事们对我都非常_____，所以我很快就适应了环境。

10. 他父亲常年住院，孩子又在读大学，经济负担十分_____。

三　分组讨论

1. 一般人都认为狗是忠诚的动物，俗话说"狗不嫌家贫"。人们怎么看待猫呢？有哪些关于猫的词语？

2. 如果让你养一个宠物，你会选择什么动物？为什么？

3. 请说出10种动物的名称，并选择一种，描述一下它的外形、特点、生活习性等。

左 撇 子

准备

　　这是一篇介绍左撇子的文章。作者谈了在这个世界里左撇子生活的不便，人们对左撇子的看法以及转变等等。请阅读这篇文章，并回答下面的问题。

1. 你的朋友中有没有天生的左撇子？

2. 左撇子在日常生活中会遇到哪些不便？

3. 对待使用左手的孩子，正确的态度应该是什么？

4. 左撇子是什么因素造成的？

5. 有一种说法是左撇子都比较聪明，记忆力也强，你同意吗？

6. 在你的母语中，有哪些与"左"有关的成语或俗语？

世界上大约有三亿人是天生的左撇子。像拉门柄、拉拉链、扣纽扣、扳汽车排挡、拿剪刀、开瓶塞罐头，**诸如此类**的事使他们感到非常吃力。人们在设计这些东西时往往忽视左撇子的需要，因而给他们造成了不少麻烦，有时甚至使他们感到十分沮丧。

直到一百多年前，人们才为左撇子做了一些微不足道的努力。人们为他们制造了右手柄上附有一面镜子的剃须杯。不过，总的来说，人们对左撇子在日常生活中所遇到的问题还是很少关注的。

如今，人们开始认真考虑起左撇子的需要了，因为左撇子的人数相当可观，仅在美国，就至少有一千八百万人。为了满足左撇子的需要，厂商发明出许多新的商品和服务项目。譬如，左撇子运动员**一度**对右手使用的运动器械颇感不便，现在他们可以买到适用于他们的运动器械了。左撇子使用的步枪、垒球手套、高尔夫球棍、渔竿绕线栓以及滚木球，都已相当普遍。此外，人们还制造出左撇子使用的镰刀，门柄装在右边的冰箱，左撇子使用的小刀，甚至萨克斯管。

虽然左撇子仍然感到**诸多**不便，但是，不管他喜欢**与否**，他**再也不**必迫使自己去适应这个习惯使用右手的世界了。也许有的父母和老师会大声提醒说："还不快用你的右手！"然而一些敏感的喜欢使用左手的孩子会极不情愿，并开始口吃，两只手也不知所措。强迫一个孩子这样做，简直毫无道理。今天的家长在心理学家的警告下，正在倾向于不去干涉他们的左撇子子

女。一种流行的说法是："你要是个左撇子，那你就去做一个出色的左撇子吧。"

左撇子是遗传的还是环境造成的，科学家们至今尚无定论。然而，他们很清楚，似乎并不仅限于对手的选择，人们常常喜欢使用一只眼睛，或一只脚，甚至只用一片嘴唇。

婴孩儿的左右手都能运用自如，他们总是用离东西近的那只手去抓东西，而大人们

总是把东西放在他们右手容易拿到的地方。通常一个小孩儿在半岁至一岁时就能表现出他们的倾向。大多数孩子在三至七岁时就决定使用哪只手，并且是永远定型了。

对于一个左撇子来说，**起码**还有一个值得骄傲的事实：美国威斯康星大学的研究人员发现，左撇子的动作要比使用右手的人来得更为敏捷！另外，男性左撇子是女性左撇子的两倍。

在很多文化背景中，似乎"左"与"坏"是联系在一起的。某些非洲原始部落的居民会固执地说，他们的妻子都是用右手准备食物的。据说，结婚戒指戴在左手的习惯就是为了避免邪恶的欲念。在某些语言中，也反映了"左"与"坏"的这种联系。如法文中GAUCHE（左边的意思）也解释为"笨拙"或"欠老练的"。而拉丁文中的"左"字则变成了英语中的"SINISTER"（意即邪恶）。

现在还无法知道，与"左"联系在一起的事物，最早是在什么时候名声扫地的。早在古希腊罗马时代，人们就认为，在左边听到的雷声是最倒霉的。危地马拉人在算命时看占卜者的脚。如果占卜者右脚的肌肉抖动，那么前途大概是光明的；如果左脚的肌肉抖动，还是小心为妙！

在亚历山大大帝统治的年代，人们的看法开始变得对左撇子有利了。亚历山大大帝好像并没有因为是个左撇子而有所不便，他成功地征服了当时已知的整个世界。**尔后**的另一位大统治者查理曼大帝也觉得使用左手抽宝剑似乎更为顺当。在他们统治的时期，使用左手也就渐渐被人们接受了。

历史上还有不少名人也都是左撇子。在大艺术家中就有米开朗基罗、达·芬奇、拉斐尔和毕加索。被称为"南方爪"的美国总统加菲尔德，在每年垒球季节来临时总是用其左手打出第一个球。

（选自Txia.com，译者：陈德永。有改动）

| 1 左撇子 | zuǒpiězi | 【名】 | 习惯于用左手做事的人 |
| 2 天生 | tiānshēng | 【形】 | 自然地生成 inborn; inherent; innate |

◎ 这孩子天生聪明。
◎ 众人都说这小夫妻俩是天生的一对。

3 门柄	ménbǐng	【名】	门拉手；门把手 handle of a door
4 拉链	lāliàn	【名】	一种可以分开和锁合的链条形的金属或塑料制品，用来缝在衣服、口袋或皮包等上面 zip-fastener; zipper
5 纽扣	niǔkòu	【名】	可以把衣服等扣起来的小形球状物或片状物 button
6 扳	bān	【动】	使位置固定的东西改变方向或转动 change the direction of a fixed object; turn

扳着指头算　扳倒

7 排挡	páidǎng	【名】	汽车、拖拉机等用来改变牵引力的装置，简称挡 gear (of a car, tractor, etc.)
8 剪刀	jiǎndāo	【名】	一种通过两刃交错把布、纸、线断开的工具 scissors
9 诸如此类	zhūrú cǐlèi		还有许多像这一类的
10 吃力	chīlì	【形】	费力

◎ 年纪大了，学外语很吃力。
◎ 平时缺少锻炼，爬山特别吃力。

| 11 微不足道 | wēi bù zú dào | | 太小了，不值得一谈 |

◎ 跟这些贵重的礼物相比，我的小礼物显得微不足道。

| 12 附 | fù | 【动】 | 另外增加 |

◎ 信中附了一张照片。
◎ 论文后面附上了参考文献的目录。

| 13 可观 | kěguān | 【形】 | （数目）多；程度高 |

◎ 花了一笔可观的钱。◎ 李院长任职期间取得了可观的成绩。

| 14 厂商 | chǎngshāng | 【名】 | 工厂；厂主 |

◎ 国内外许多著名的厂商参加了这次新产品展览会。
◎ 厂商委托当地一家维修站负责售后服务。

| 15 譬如 | pìrú | 【动】 | （书面语）比如；比方说 |

◎ 南方人和北方人的生活习惯有很大差别，譬如，南方人爱吃米饭，北方人爱吃面食。

| 16 一度 | yídù | 【副】 | 有过一次或一阵 |
| 17 器械 | qìxiè | 【名】 | 有专门用途的或构造较精密的工具 apparatus; appliance; instrument |

医疗器械　体育器械

18 颇	pō	【副】	（书面语）很；相当地

◎ 读了这篇文章，他感触颇深。

◎ 对潘教授的说法，很多学者颇不以为然。

19 步枪	bùqiāng	【名】	单兵使用的靠肩托发射的长管枪 rifle
20 垒球	lěiqiú	【名】	球类运动项目之一 softball
21 渔竿	yúgān	【名】	钓鱼用的细长的竿子 fishing rod
22 镰刀	liándāo	【名】	一种用于收割庄稼、割草等的农具 sickle
23 冰箱	bīngxiāng	【名】	一种用来冷藏食品、药品等的装置 icebox; refrigerator; freezer
24 萨克斯管	sàkèsīguǎn	【名】	一种管乐器 saxophone
25 诸多	zhūduō	【形】	（书面语）很多
26 迫使	pòshǐ	【动】	用强力或压力使（做某事）

◎ 坏天气迫使我们放弃了旅行计划。

◎ 他们态度强硬，企图迫使对方让步。

27 情愿	qíngyuàn	【动】	心里愿意

◎ 他甘心情愿付很高的价钱。

◎ 我情愿一夜不睡，也要读完这本书。

28 口吃	kǒuchī	【动】	说话时字音重复或词句中断 stutter; stammer

◎ 小王说话有点儿口吃。

◎ 他过于紧张，口吃起来。

29 不知所措	bù zhī suǒ cuò		不知道怎么办才好

◎ 婚礼上新娘突然跑了，大家一下子不知所措。

◎ 上课时警察闯进教室，同学们不知所措了。

30 家长	jiāzhǎng	【名】	指父母或其他对未成年人监督和保护的人 the parent or guardian of a child
31 倾向	qīngxiàng	【动】	更赞成某一方

◎ 在选择宿舍区的地点时，我们倾向于环境安静的郊区。

		【名】	发展的方向

◎ 基础教育中存在着重视知识传授、忽视能力培养的不良倾向。

32 出色	chūsè	【形】	非常好；超过一般

◎ 妹妹各门课的成绩都非常出色。

◎ 他是一位出色的作家，作品在国内外广泛流传。

33 遗传	yíchuán	【动】	生物体的构造和生理特征由上代传给下代 heredity; inherit

◎ 他遗传了父母的高个子。

34	尚无定论	shàng wú dìng lùn		还没有明确而肯定的论断

◎ UFO是否存在，尚无定论。

35	婴孩儿	yīngháir	【名】	不满一岁的小孩儿
36	运用自如	yùnyòng zìrú		使用得非常熟练自然

◎ 他在韩国待了两年多，韩国语已经运用自如了。

37	定型	dìngxíng		事物的特点逐渐形成并固定下来 finalize the design; fall into a pattern
38	起码	qǐmǎ	【形】	最低限度
39	背景	bèijǐng	【名】	对人物、事件起作用的历史情况或现实环境 background

时代背景　社会背景
◎ 去采访这位政治家之前，最好先了解一下他的背景。

40	部落	bùluò	【名】	由几个血缘相近的氏族结合而成的集体 tribe
41	固执	gùzhi	【形】	坚持自己的意见，不肯改变

◎ 他的性情非常固执，从来听不进别人的意见。

42	戒指	jièzhi	【名】	套在手指上做纪念或装饰用的小环 ring/band (on the finger)

一枚（méi）戒指　金戒指　结婚戒指

43	邪恶	xié'è	【形】	（性情、行为）不正而且凶恶 （of disposition, action）evil; vicious

◎ 警察以迅雷不及掩耳之势打掉了那股邪恶势力。

44	欲念	yùniàn	【名】	想得到某种东西或想达到某种目的的要求

◎ 他有一种迫切的欲念，想了解对方的想法。

45	笨拙	bènzhuō	【形】	不聪明；不灵巧

◎ 弟弟第一次滑冰，动作笨拙极了。
◎ 孩子的画笔法笨拙，但是感情真挚。

46	老练	lǎoliàn	【形】	待人接物很稳重，有才能而且办事很有经验 seasoned; experienced

◎ 哥哥跟人打交道特别老练。
◎ 他刚接手业务，显得不太老练。

47	名声扫地	míngshēng sǎodì		在社会上的评价很坏
48	倒霉	dǎo méi		遇到的事情不顺利

◎ 真倒霉，自行车坏了！
◎ 我发现每次遇到你我都倒大霉。

49 算命	suàn mìng		推算人的命运 fortune-telling

◎ 每次出远门前，他都要找人算命。

◎ 春节奶奶去庙里烧香，给家里每个人都算了一命。

50 占卜	zhānbǔ	【动】	借助某种工具推断祸福的一种迷信活动
			practise divination; divine

51 肌肉	jīròu	【名】	人和动物体内的一种组织，由许多肌纤维集合
			构成 muscle

肌肉发达　锻炼肌肉

52 征服	zhēngfú	【动】	①用武力使对方屈服 conquer; subjugate

◎ 在历史上，游牧民族曾经征服过这个国家。

②用力制服、取胜

◎ 登山队员征服了世界屋脊——珠穆朗玛峰。

③使别人信服

◎ 他的音乐征服了听众，音乐厅内响起了经久不息的掌声。

53 宝剑	bǎojiàn	【名】	原指稀有而珍贵的剑，后来泛指一般的剑 a
			double-edged sword

54 顺当	shùndang	【形】	（口语）顺利；通顺

◎ 事情办得不太顺当。

◎ 祝你顺顺当当地通过考试。

◎ 这篇文章中有几句话写得不太顺当。

55 来临	láilín	【动】	来到；到来

◎ 每当秋天来临，湖边的银杏树就变成金黄色。

◎ 期末考试即将来临。

词语练习

一　根据拼音写出词语，然后把它们填在合适的句子里

zhūduō　lǎoliàn　qíngyuàn　gùzhi　kěguān　yùnyòng zìrú

1. 他还不够（　　　），谈判时一下子就让对手发现了破绽。

2. 定岗定编只是他上任后所做的（　　　）改革中的一项。

3. 爸爸特别（　　　），他决定的事情家里人都无法改变。

4. 孩子挺聪明的，刚买回来的mp3播放器，他摆弄了一会儿就（　　　）了。

5. 积少成多，时间久了，就会成为一个（　　　）的数目。

6. 老实说，我并不（　　　　）去那么艰苦的地区工作，但是从长远考虑，也就同意了。

> qìxiè　yùniàn　míngshēng　niǔkòu　liándāo　bùluò

7. 老领导在位期间（　　　　）很好，退休后单位的人都很想念他。

8. 快60岁了，他写回忆录的（　　　　）越来越强烈。

9. 画上的农夫手持一把（　　　　），正在收割麦子。

10. 衣服配上漂亮的（　　　　），能起到画龙点睛的效果。

11. 全民健身热兴起后，他下海开了一家公司，专门经营体育（　　　　）。

12. 远古时代，黄帝（　　　）和炎帝（　　　）融合起来，成为中华民族的祖先。

一　用本课学习的词语替换下列句子中加点的部分

1. 他家的人都很粗心，性格是不是也能由上代传给下代？（　　　）

2. 雨季来到了，我的心情也和天气一样变得阴阴的，湿湿的。（　　　）

3. 这些天怎么了，干什么都不顺利，我都没信心了。（　　　）

4. 我的同屋会用扑克牌替人推算命运，断定祸福。（　　　）

5. 面对突如其来的变故，孩子们都不知道怎么办了。（　　　）

6. 他不会取巧，办事显得有点儿不聪明，但是却非常踏实可靠。（　　　）

7. 出于安全考虑，刚入学的一年级新生，学校一般要求父母或其他长辈接送。（　　　）

二　用下列词语填空，并从本课学过的词语中找出它们的反义词

> 省力　平凡　正直　灵巧　幼稚　随和　早有定论

1. 老王为人_____，深受同事们的信赖。

2. 她进公司十多年了，一直做着最_____的工作。

3. 他的书法功力不够，笔画显得_____，还需要多练习。

4. 母亲特别_____，从来不和别人争吵。

5. 用电脑搞设计_____多了。

6. 这些出土文物的年代，历史学家_____。

7. 父亲有一双_____的手，刻的萝卜花简直就是工艺品。

反义词

省力 ＿＿＿＿＿＿＿＿＿＿＿

平凡 ＿＿＿＿＿＿＿＿＿＿＿

正直 ＿＿＿＿＿＿＿＿＿＿＿

灵巧 ＿＿＿＿＿＿＿＿＿＿＿

幼稚 ＿＿＿＿＿＿＿＿＿＿＿

随和 ＿＿＿＿＿＿＿＿＿＿＿

早有定论 ＿＿＿＿＿＿＿＿＿＿＿

1 诸如此类

● 像拉门柄、拉拉链、扣纽扣、扳汽车排挡、拿剪刀、开瓶塞罐头，诸如此类的事使他们感到非常吃力。

用于承接上文，放在所举的例子之后，意思是"还有许多像这一类的"。例如：

（1）庙会上有说相声的，有演杂技的，诸如此类，都是传统节目。

（2）老人更需要精神上的安慰，跟他们聊天，给他们读报，陪他们散步，诸如此类的事情会使他们非常开心。

（3）各地风土人情、奇闻趣事、凡人小事，诸如此类的轻松文章是这份小报的主要内容。

也有"诸如……之类"的说法，这时"诸如"用如动词。例如：

（4）诸如房间的朝向、格局、楼层之类的情况都是买房人关注的。

（5）我刚到这里，诸如租房、交通、采购之类的日常事务都得慢慢了解。

2 一度

● 譬如，左撇子运动员一度对右手使用的运动器械颇感不便，现在他们可以买到适用于他们的运动器械了。

副词，有过一次或一阵。例如：

（1）大学毕业那会儿，他一度在公司里搞销售，后来又考上了研究生。

（2）哥哥的运气很差，大学毕业时正赶上经济危机，一度失业。

（3）今年上半年这个牌子的冰箱一度跃居销售排行榜的首位。

还有数量词的用法，一次，一阵。例如：

（4）历史系一年一度的新年联欢会上，小刘的二胡表演是保留节目。

（5）他最终做出这个决定，是经过一度慎重的考虑的。

3　诸多

● 虽然左撇子仍然感到诸多不便，但是，不管他喜欢与否，他再也不必迫使自己去适应这个习惯使用右手的世界了。

　形容词，很多，书面语。一般只用做定语，可以加"的"，不能用"不"否定，也不能受程度副词修饰。例如：

（1）施工给居民们带来了诸多不便。

（2）他对于自己的过失，找了诸多的借口。

（3）尽管改革遇到了诸多障碍，但是还是要进行下去。

4　A与否，……

● 虽然左撇子仍然感到诸多不便，但是，不管他喜欢与否，他再也不必迫使自己去适应这个习惯使用右手的世界了。

　书面语结构，相当于"A或不A"，A多为双音节动词或形容词性成分。例如：

（1）博士论文通过与否取决于论文中是否有开创性的观点。

（2）明天的比赛取胜与否，队员们的配合是关键。

（3）这些装修材料都是目前最流行的，美观与否，那要看各人的感觉了。

5　再也不/没有……

● 他再也不必迫使自己去适应这个习惯使用右手的世界了。

　表示某种情况不再出现了。例如：

（1）我以后再也不迟到了。

（2）他出国后，再也没跟朋友们联系过。

（3）写完这个报告，我就好好休息一段时间，再也不熬夜工作了！

6　起码

● 对于一个左撇子来说，起码还有一个值得骄傲的事实。

　"起码"是形容词，表示最低限度。例如：

（1）我看了这些公司的招聘广告，大学毕业、懂外语、会用电脑是对应聘者起码的要求。

（2）要找王大夫看病，你起码应该提前两天预约。

（3）这个项目进度很慢，最起码要到明年五月才能完成。

7 尔后

● 尔后的另一位大统治者查理曼大帝也觉得使用左手抽宝剑似乎更为顺当。从此以后，书面语。例如：

（1）上次拍卖会上这件古董被一位神秘人物买走，尔后就不知去向了。

（2）那位电影明星获奖后突然宣布息影，尔后投身商界了。

（3）武打片《卧虎藏龙》在国际上获了奖，创造了很高的票房收入，尔后好几部武打电影、电视剧相继投入拍摄。

语言点练习

一 完成句子或对话

1. _____，诸如此类的事都很伤脑筋。

2. A：你喜欢看什么样的电视节目？

   B：_____我都感兴趣。（诸如……之类）

3. _____，后来休养了一段时间，才恢复正常。（一度）

4. A：听说他在创业之初吃过不少苦。

   B：可不是，_____。（一度）

5. 与传统的相机相比，数码相机的诸多便利之中，_____。

6. A：奥运会的开幕式真是盛况空前。

   B：是呀，_____，所有报纸的头版头条都报道了。（诸多）

7. 参加作文比赛的都是优秀学生，尽管我们做了充分准备，_____，还要看比赛时发挥得怎么样。（……与否）

8. A：听说你刚开了一家小便利店，生意怎么样？

   B：我哥哥下岗了，开小店就为了给他找点儿事情做，_____。（……与否）

9. 毕业后他离开家乡，独自一人去深圳发展，_____。（再也没有）

10. A：昨天我们在那家小店买的五张DVD，竟然没有一张能看的！

　　B：_____。（再也不）

11. 那家公司看重实际工作经验，_____，
　　刚毕业的大学生不容易被录用。（起码）

12. A：孩子一开学，开销可不小！

　　B：是啊，学费、书本费、午餐费，再加上买校服什么的，
　　_____。（起码）

13. 这些年他一直没有固定的工作，先是在一家网站当编辑，又在商场推
　　销保健品，_____。（尔后）

14. A：爷爷是搞物理的，奶奶是搞哲学的，他俩是怎么认识的？

　　B：当年他俩在朋友的婚礼上偶然相识，_____。（尔后）

用本课学习的语言点回答问题

1. 初次见面的朋友应该避免谈论哪些话题？（诸如此类）

2. 你怎么对电影界的这些趣闻这么了解？（一度）

3. 这次公司上层为什么下决心进行财务制度改革？（诸多）

4. 据说大导演投入巨资拍摄了这部新电影，您能预测一下它的票房前景
　　吗？（……与否）

5. 那位老中医看过以后，你哥哥的病怎么样了？（再也不/没有）

6. 明年就要毕业了，对于未来的工作，你有哪些要求？（起码）

7. 这个城市的市花是怎样确定的？（尔后）

综合练习

一　熟读下面的句子，注意体会加点字的用法，并模仿造句

1. 人们在设计这些东西时往往忽视左撇子的需要，因而给他们造成了不
　　少麻烦，有时甚至使他们感到十分沮丧。

2. 如今，人们开始认真考虑起左撇子的需要了，因为左撇子的人数相当
　　可观，仅在美国，就至少有一千八百万人。

3. 也许有的父母和老师会大声提醒说："还不快用你的右手！"然而一些敏感的喜欢使用左手的孩子会极不情愿，并开始口吃，两只手也不知所措。强迫一个孩子这样做，简直毫无道理。

4. 左撇子是遗传的还是环境造成的，科学家们至今尚无定论。然而，他们很清楚，似乎并不仅限于对手的选择，人们常常喜欢使用一只眼睛，或一只脚，甚至只用一片嘴唇。

5. 早在古希腊罗马时代，人们就认为，在左边听到的雷声是最倒霉的。

6. 被称为"南方爪"的美国总统加菲尔德，在每年垒球季节来临时总是用其左手打出第一个球。

二 选词填空

扳　开　附　装　抓　抽

1. 妈妈在信中给我介绍了一家有名的医院，随信还_____了一份关于这家医院的剪报。

2. 老王_____着手指头算了一下，离中秋节还有10天。

3. "我来，我来！"小王连忙从钱包里_____出一张百元大钞交给服务员。

4. 城里治安不好，很多人家在窗户外面加_____了铁护栏。

5. 为了庆祝我们球队踢进了决赛，队长提议_____瓶香槟酒。

6. 早上起晚了，我胡乱_____件外套就出门了。

造成　发明　迫使　警告　关注　表现　反映　抖动　接受

7. 这部_____都市生活的新电影正在各大影院上映。

8. 孙大夫_____了一种新的医疗器械，正在申请专利。

9. 隐私的观念逐渐为中国人所_____。

10. 我发现他有个习惯，谈话时腿总是无意识地_____。

11. "我_____你，要是再欺负我朋友，我就不客气了！"大个子挥了挥拳头。

12. 画家的父母介绍说，他小时候并没有_____出绘画方面的天才。

13. 长期缺乏交流＿＿＿＿＿了他们之间的不和，最后感情破裂。

14. 近年来，全社会都在＿＿＿＿＿环境问题。

15. 家庭的变故＿＿＿＿＿他中途退学。

三　你习惯使用左手还是右手？如果你习惯使用右手，请试着用半个小时左右的时间完全使用左手，体会一下左撇子的生活。回答下面的问题，并把回答的内容写成一段话

1. 你习惯使用左手还是右手？

2. 你了解左撇子的生活吗？

3. 在日常生活中，左撇子常常遇到哪些不便？

4. 人们怎么看待左撇子？会不会觉得他们比较特别？

5. 在哪些方面左撇子有优势？

6. 你知道哪些名人是左撇子？

7. 你的亲戚朋友中有没有左撇子？他们的父母是左撇子吗？

8. 你认为左撇子是遗传的吗？

四　熟读下面的句子，说说变色词语的意思

1. 他盯着报纸上的填字游戏，左思右想，找不出答案。

2. 图书馆里，同学们都在埋头看书，就他一个人左顾右盼的。

3. 这两位助理是老板的左膀右臂，在公司里举足轻重。

4. 王爷爷病了，左邻右舍都来看望他老人家。

5. 不帮忙吧，得罪朋友；帮忙吧，又违背原则。真让我左右为难。

6. 他善于跟人打交道，左右逢源，谁都不得罪。

7. 爸爸妈妈不放心奶奶，左一趟右一趟地派孩子去接她来家。

五　查词典，找出五个和"左""右"有关的词语，并用它们造句

例如：相左　在如何评价这一历史事件的问题上，两派意见相左。

　　　右首　宴会上，老王被安排在老李的右首。

你认为单眼皮、双眼皮分别适合什么样的脸型？单眼皮和双眼皮在审美方面有差别吗？这篇副课文是关于单眼皮、双眼皮的。

单眼皮、双眼皮的形成

单睑，是指上眼睑眉弓下缘到睑缘间皮肤平滑，当睁眼时，无皱襞形成，俗称单眼皮。重睑，是指上睑皮肤在睑缘上方有一浅沟，当睁眼时，此沟以下的皮肤上移，而此沟上方皮肤则较松弛，在重睑沟处悬垂，向下折叠成一横行皮肤皱襞，俗称双眼皮。在人们的观念中，双眼皮与单眼皮的差别是显而易见的。而事实上，两者间存在着美学的差异、形态学的区别及解剖学的差别。

人类的单睑、重睑与遗传有关，一般终生不变。但也有少数人随年龄增长而有所变化。有的是随年龄增长，到成年时，单睑逐渐变为重睑；有的是随着步入老龄，眼睑皮肤松弛下垂，将原来重睑的皱襞遮盖住，而给人以单睑的外观印象。人类的双上睑形态一般是对称的，但约有2.85％—8.89％的人双上睑形态不一

睑 jiǎn（名）眼睑；眼皮 eyelid
平滑 pínghuá（形）平而光滑
皱襞 zhòubì（名）褶儿；皱纹 pleat; crease; wrinkle

松弛 sōngchí（形）松；不紧张
悬垂 xuánchuí（动）（物体）悬空下垂 overhang
折叠 zhédié（动）把物体的一部分翻转和另一部分紧挨在一起 fold
显而易见 xiǎn ér yì jiàn 事情或道理非常明显，极易看清
形态 xíngtài（名）生物体外部的形状
解剖 jiěpōu（动）为了研究人体或动植物体各器官的组织构造，用特制的刀、剪把人体或动植物体剖开 dissect

对称 duìchèn（形）指图形或物体对某个点、直线或平面而言，在大小、形状和排列上具有一一对应关系 symmetry

致，表现为一侧单睑，一侧重睑。就东方民族来说，单睑和重睑是两种不同眼睑形态；从生理角度来看，两者都属正常，基本无差别。但从美学角度来看，单睑往往给人以眼睛较小，"欠美"的感觉；在功能上，也没有重睑那样更富于情感的表达和明眸的显露。因此重睑美容术除能增添美感以外，在某种意义上讲尚有一定的功能意义，这也是重睑术开展的主要理由。

　　从形态学的角度来看，单睑与重睑的差别，除在上睑有无横行皱襞的区别外，单睑者整个上睑的皮肤较厚，并显得较为臃肿，皮肤轻度下垂，遮盖睑缘，平视时，睫毛的根部不可见；重睑者上睑皮肤较薄，而显清秀，上睑的皮肤不下垂，睑缘全部可见。单睑者睑裂较短、狭细；而重睑者睑裂较长、宽。单睑的睫毛较短、稀疏，平视时，睫毛多向下倾斜，有时睫毛还会遮盖瞳孔，影响视野和视力。重睑者的睫毛较长，平视时睫毛稍稍向上翘。单睑者的内眦角由于多伴有内眦赘皮，呈圆顿状；而重睑者内眦一般呈尖角状，一般无内眦赘皮。

明眸 míngmóu（名）明亮的眼睛

显露 xiǎnlù（动）原来看不见的变成看得见的

尚 shàng（副）还

功能 gōngnéng（名）事物或方法所发挥的有利的作用；效能 function

臃肿 yōngzhǒng（形）过度肥胖，转动不灵

睫毛 jiémáo（名）眼睑上下边缘的细毛 eyelash; lash

清秀 qīngxiù（形）美丽而不俗气 delicate and pretty

狭细 xiáxì（形）又窄又小

稀疏 xīshū（形）（物体、声音等）在空间或时间上间隔远

倾斜 qīngxié（形）歪斜

瞳孔 tóngkǒng（名）pupilla; pupil

视野 shìyě（名）眼睛看到的空间范围

视力 shìlì（名）在一定距离内眼睛辨别物体形象的能力 vision; sight

翘 qiào（动）一头向上仰起 stick up; bend upwards; turn upwards

眦 zì（名）上下眼睑的接合处，靠近鼻子的叫内眦，靠近两鬓的叫外眦。通称眼角 corner of the eyes; canthus

赘 zhuì（形）多余的；无用的 superfluous; redundant

呈 chéng（动）显出；露出

由于单、重睑的发生受种族、地区、遗传、年龄等因素的影响，形态上有显著差别，因而其解剖结构上也存在着明显的差别。单睑的皮肤较厚，皮下组织较高，眼轮匝肌比较发达，眼轮匝肌后的脂肪较多，睑板薄而窄小，睁眼的肌肉——提上睑肌不发达；而重睑者则正好相反。单睑者的眶隔位置一般偏低，眶隔脂肪可脱垂于睑板上缘或睑板前，而重睑的眶厢位置较高，也无眶隔脂肪脱垂于睑板上缘或睑板前。基于解剖结构基础，单睑在睁眼时，睑板前的皮肤和眼轮匝肌不能跟随睑板一同上提，因而上睑不能形成皱襞，表现为单眼皮；而重睑在睁眼时，睑板前重睑线以下的皮肤和眼轮匝肌能和睑板一同上提，因而上睑出现皱襞，表现为双眼皮。

从单、重睑几个方面的差别来看，人们常提起的重睑术，实际为依据美学原理，通过手术手段，将单睑的解剖结构进行修改、重组，最后形成重睑的外观形态。

（选自医学教育网）

种族 zhǒngzú（名）人类学指在肤色、眼色、发型等方面有共同特征的人群。又称人种 race

脂肪 zhīfáng（名）人和动植物体内储存热量的物质，动植物脂肪是食用油的主要成分 fat

重组 chóngzǔ（动）重新组合或组建

副课文练习

一 根据副课文回答下列问题

1. 根据副课文，单眼皮和双眼皮的定义是什么？

2. 单眼皮和双眼皮的形成与什么条件有关？

3. 什么是"重睑术"？

4. 单眼皮和双眼皮有哪些形态学方面的差异？

5. 单眼皮和双眼皮有哪些解剖结构方面的差异？

二 分组讨论

1. 有一种观点认为："从美学角度来看，单睑往往给人以眼睛较小，'欠美'的感觉；在功能上，也没有重睑那样更富于情感的表达和明眸的显露。"你同意这种看法吗？

2. 你支持通过手术手段将单眼皮改为双眼皮吗？

3. 你对整容手术有什么看法？

4. 将下列形容词按所形容身体部位分类

红润	健壮	细腻	丰满	卷曲	洁白	乌黑	松弛	有神
孱弱	蓬松	光滑	灵活	修长	椭圆	清秀	黝黑	挺拔
结实	圆润	整齐	灵巧	明亮	饱满			

头发 _____

脸 _____

眼睛 _____

鼻子 _____

嘴 _____

牙齿 _____

身材 _____

四肢 _____

皮肤 _____

手 _____

5. 带几张人物照片或漫画，试着描述其中一张的人物特征，请同组同学根据你的描述从中选出相应的那张。

谈抽烟

准备

　　抽烟有害健康，这是一般人的共识。这篇课文的作者用幽默的语言谈论与抽烟有关的话题。请你阅读课文，并试着回答下面的问题：

1. 与嚼口香糖相比，抽烟有哪些优势？
2. 抽卷烟的过程包括哪几个动作？怎么理解"这其间每一个动作都带股劲儿，像做戏一般"？

3. 作者把烟比喻为一个"伴儿"，说说烟和"伴儿"有哪些相似之处。
4. 你认为抽烟是一种派头吗？
5. 你周围抽烟的朋友多不多？你对抽烟反感吗？

有人说："抽烟有什么好处？还不如吃点口香糖，甜甜的，**倒**不错。"不用说，你知道这**准**是外行。口香糖也许不错，可是喜欢的怕是女人孩子**居多**，男人很少赏识这种玩意儿的，除非在美国，那儿怕有些个例外。一块口香糖得咀嚼老半天，还是嚼不完，凭你怎样斯文，那朵颐的样子，总遮掩不住，总有点儿不雅相。这其实不像抽烟，倒像衔橄榄。你见过衔着橄榄的人？腮帮子上凸出一块，嘴里又**不时**地嘬儿嘬儿的。抽烟可用不着这么费劲。烟卷儿尤其省事，随便一叼上，悠然的就吸起来，谁也不来注意你。抽烟**说不上**是什么味道。勉强说，也许有点儿苦吧。但抽烟的不稀罕那"苦"而稀罕那"有点儿"。他的嘴太闷了，或者太闲了，就要这么点儿来凑个热闹，让他觉得嘴还是他的。嚼一块口香糖可就太多，甜甜的，够多腻味，而且有了糖也许便忘记了"我"。

抽烟其实是个玩意儿。就说抽卷烟吧，你打开匣子或罐子，抽出烟来，在桌子上顿几下，衔上，擦洋火，点上。这其间每一个动作都带股劲儿，像做戏一般。自己也许不觉得，但到没有烟抽的时候，便觉得了。那时候你**必然**闲得无聊：特别是两只手，简直没放处。再说那吐出的烟，袅袅地缭绕着，也够你一回两回的捉摸，它可以领你走到顶远的地方去。——即便在百忙当中，也可以让你轻松一忽儿。所以老于抽烟的人，一叼上烟，真能悠然遐想。他霎时间是个自由自在的身子，无论他是靠在沙发上的绅士，还是蹲在台阶上的瓦匠。有时候他还能够叼着烟和人说闲话，自然有些含含糊糊的，但是可喜的是那满不在乎的神气。这些大概也算得游戏三昧吧。

好些人抽烟，为的有个伴儿。譬如说一个人单身住在北京，和朋友在一块儿，倒是有说有笑的，回家来，空房子像水一样。这时候他可以摸出一支烟抽起来，借点儿暖气。黄昏来了，屋子里的东西只剩些轮廓，暂时懒得开灯，也可以点上一支烟，看烟头上的火一闪一闪的，像亲密的低语，只有自己听得出。要是生气，也**不妨**迁怒一下，使劲儿吸他十来口。客来了，若你倦了说不得话，或者找不出可说的，干坐着**岂**不着急？这时候最好拈起一支烟将嘴堵上等你对面的人。若是他也这么办，便尽时间在烟里爬过去。各人

抓着一个新伴儿，大可以盘桓一会的。

　　从前抽水烟旱烟，不过是一种无伤大雅的嗜好，现在抽烟却成了派头，抽烟卷儿指头黄了，由它去。用烟嘴不独麻烦，也小气，又跟烟隔得那么老远的。今儿大褂儿上一个窟窿，明儿坎肩儿上一个，由它去。一支烟里的尼古丁可以毒死一个小麻雀，也由它去。总之，别别扭扭的，其实也还是个"满不在乎"罢了。烟有好有坏，味有浓有淡，能够辨味的是内行，不择烟而抽的是大方之家。

（作者：朱自清）

◉ 注释

朱自清（Zhū Zìqīng，1898—1948），现代散文家、诗人。原名自华，字佩弦，号秋实，江苏扬州人。曾在清华大学、西南联合大学任教。著有诗集《踪迹》，散文集《背影》《欧游杂记》《你我》《伦敦杂记》，文艺论著《诗言志辨》《论雅俗共赏》等。

词语表

1 口香糖	kǒuxiāngtáng	【名】	糖果的一种，只可以咀嚼，不能吞下 chewing gum
2 外行	wàiháng	【形】	不懂业务或没有经验

◎ 他不懂装懂，净说些外行话。

◎ 他懂技术，对管理也不外行。

　　　　　　　　　　【名】　　　　不懂业务或没有经验的人

◎ 外行看热闹，内行看门道。

◎ 让他搞研究，他可是个外行。

3 赏识	shǎngshí	【动】	认识到别人的才能或作品的价值而给予重视或赞扬 recognize the worth of, appreciate

◎ 小王工作出色，很受领导赏识。

◎ 评委特别赏识年轻设计师的参赛作品。

4 例外	lìwài	【动】	在一般的规律、规定之外 be an exception

◎ 人人都要遵守交通规则，谁也不能例外。

		【名】	在一般的规律、规定之外的情况 exception

◎ 社会现象非常复杂，很多规则都有例外。

◎ 所有的人都按时到达了，只有小李是一个例外。

5 咀嚼	jǔjué	【动】	① 用牙齿磨碎食物 masticate, chew

◎ 他饿坏了，吃得狼吞虎咽的，根本来不及细细咀嚼。

			② 比喻对事物仔细研究，反复体会 mull over, ruminate, chew the cud

仔细咀嚼老师讲的内容　反复咀嚼着诗词的意境

6 嚼	jiáo	【动】	上下牙齿磨碎食物 masticate, chew, munch

细嚼慢咽　还没嚼烂就吞下去了

7 斯文	sīwén	【形】	（书面语）文雅 refined, gentle

说话挺斯文的　斯斯文文地坐着

8 朵颐	duǒyí	【名】	（书面语）指鼓动腮帮子嚼东西的样子 munch, chew

大快朵颐（形容食物很鲜美，吃得很满意）

9 遮掩	zhēyǎn	【动】	① 一物体挡住另一物体

◎ 几座摩天大楼遮掩了古老的园林。

			② 想办法遮盖（缺点、错误等）

◎ 他当众打了个嗝儿，急忙笑笑遮掩过去。

◎ 服装搭配得好，可以遮掩身体的某些缺陷。

10 相	xiàng	【名】	相貌；外貌（一般不单用）

聪明相　可怜相

◎ 已经工作了好几年了，他还是一副学生相。

11 衔	xián	【动】	用嘴含

◎ 祖父总是衔着一个大烟斗。◎ 燕子衔泥筑巢。

12 橄榄	gǎnlǎn	【名】	olive
13 腮帮子	sāibāngzi	【名】	脸的下半部 cheek
14 凸	tū	【形】	高于周围（跟"凹"相对）

◎ 地板没铺好，凸出一块。◎ 路面被汽车压得凹凸不平。

15 不时	bùshí	【副】	时时；经常不断地
16 烟卷儿	yānjuǎnr	【名】	（口语）香烟

17 省事	shěng shì		方便；不费事

◎ 在食堂吃饭最省事。◎ 有了班车后，我上下班省了不少事。

18 叼	diāo	【动】	用嘴夹住物体的一部分 hold in the mouth

19 悠然	yōurán	【形】	闲适自得的样子 carefree and leisurely

在乡下过着悠然的生活　　悠然地听音乐

◎ 古书中的人物令他悠然神往。

20 稀罕	xīhan	【形】	新奇；少有

◎ 他从国外带回了不少稀罕玩意儿。

◎ 进了篮球队，他的个子就不那么稀罕了。

		【动】	认为新奇而喜爱 value as a rarity, cherish

◎ 孙子送的礼物让奶奶稀罕得不得了。

◎ 我不稀罕跟名人交往。

21 凑热闹	còu rènao		到热闹的地方跟大家一起玩儿

跟大家凑热闹聊天

◎ 明天我们给奶奶祝寿，也邀请了一些邻居来凑凑热闹。

22 腻味	nìwei	【形】	（口语）感觉厌烦

听腻味了　　吃腻味了　　玩儿腻味了

◎ 天天谈这些无聊的话题，真腻味！

23 卷烟	juǎnyān	【名】	香烟；烟卷儿

24 匣子	xiázi	【名】	装东西的较小的方形器具，有盖儿 a small box (or case) with a lid, casket

铁匣子　　小匣子　　点心匣子

25 罐子	guànzi	【名】	盛东西用的大口器皿，多为陶器或瓷器 pot, jar, pitcher, jug

药罐子　　一罐子油

26 洋火	yánghuǒ	【名】	火柴

27 做戏	zuò xì		比喻故意做出某种姿态让别人看 play-act, pretend

◎ 这个人说话办事都像做戏，缺少诚意。

◎ 别做戏了，大家心里都明白得很。

28 无聊	wúliáo	【形】	① 太清闲了而感觉烦闷 feel bored for being idle

◎ 我忙惯了，闲下来反而觉得无聊。

◎ 住院期间，他觉得特别无聊。

② 言语、行动等没有意义；低级 senseless, silly, stupid

◎ 无聊的人喜欢探听别人隐私。

◎ 这个老师总是拿学生的错误开玩笑，真无聊！

| 29 袅袅 | niǎoniǎo | 【形】 | ① 烟气缭绕上升 (of smoke) curl upwards |

◎ 在乡下，每到傍晚，远远地就能望见村里的袅袅炊烟。

② 声音延长不绝 (of sound) linger

◎ 对岸传来一阵歌声，余音袅袅，绵长不绝。

③ 细长柔软的东西随风摆动 (of slender, soft things) wave in the wind

◎ 春风吹着湖边袅袅的垂柳。

| 30 缭绕 | liáorào | 【动】 | 回环旋转 curl up, wind around |

◎ 悠扬的乐曲声在听众耳边缭绕着。◎ 山间云雾缭绕。

| 31 捉摸 | zhuōmō | 【动】 | 猜测；预料（多用于否定句） |

◎ 他的性情难以捉摸。◎ 这里的天气让人捉摸不定。

32 顶	dǐng	【副】	表示程度最高
33 即便	jíbiàn	【连】	即使
34 一忽儿	yìhūr	【数量】	（方言）一会儿
35 遐想	xiáxiǎng	【动】	悠远地思索或想象 reverie, daydreaming

◎ 他合上书，闭目遐想。

| 36 霎时间 | shàshíjiān | 【名】 | 极短的时间 |

◎ 魔术师转了转扇子，霎时间变出了一对鸽子。

| 37 自由自在 | zìyóu zìzài | | 不受拘束；不受限制 leisurely and carefree, free and unrestrained |

向往自由自在的生活　自由自在地发表意见

| 38 身子 | shēnzi | 【名】 | （口语）身体 |
| 39 绅士 | shēnshì | 【名】 | 有声望、有地位的人 gentleman; gentry |

◎ 老人家跳起舞来颇有绅士风度。

◎ 和女士在一起，他表现得像个绅士。

40 台阶	táijiē	【名】	用砖、石、混凝土等筑成的一级一级供人上下的建筑物 a flight of steps; steps leading up to a house, etc.
41 瓦匠	wǎjiang	【名】	做砌砖、盖瓦等工作的建筑工人 bricklayer, plasterer
42 说闲话	shuō xiánhuà		① 闲谈 chat

◎ 两位老人一边下棋一边说着闲话。

② 说讽刺或不满意的话 gossip, make sarcastic or critical comments

◎ 别在背后说人闲话。

| 43 含糊 | hánhu | 【形】 | 不明确；不清晰 |

◎ 这人说话含糊不清。
◎ 他故意含糊其辞，我没弄清楚他的意图。

| 44 满不在乎 | mǎn bú zàihu | | 完全不放在心上。形容对事情很不重视 |

◎ 同屋丢了护照，却满不在乎。
◎ 一看他那满不在乎的样子，我就懒得跟他谈了。

| 45 神气 | shénqì | 【名】 | 脸部显露的内心活动 expression, air, manner |

◎ 父亲一脸不快的神气。
◎ 他说话的神气特别像他母亲。

【形】　精神饱满 spirited, vigorous

◎ 开幕式上，运动员们个个都很神气。

| 46 三昧 | sānmèi | 【名】 | 关键性的方法 secret, key |

◎ 她从小拜名师学习书法，深得其中三昧。

| 47 伴儿 | bànr | 【名】 | 在一起学习、工作或生活的人 |
| 48 单身 | dānshēn | 【名】 | 没有结婚或没有跟家人在一起生活 |

单身汉　单身宿舍
◎ 他单身在国外，周末常去观光游览。

| 49 轮廓 | lúnkuò | 【名】 | ① 构成图形或物体的外缘的线条 contour, rough sketch, profile, silhouette, outline of a figure or an object |

◎ 在月光下，她的轮廓显得非常美好。
◎ 路灯很昏暗，路边的建筑只能看出轮廓。

② 大致情况 survey, general situation

◎ 看了这几篇报道，我对这起事件的轮廓有了初步的了解。

| 50 亲密 | qīnmì | 【形】 | 感情好，关系密切 |

◎ 他们是亲密的朋友。
◎ 在外地遇见同乡觉得格外亲密。

| 51 不妨 | bùfáng | 【副】 | 表示可以这样做，没有什么妨碍 may, might as well |
| 52 迁怒 | qiānnù | 【动】 | 因为某人某事生气却向其他人发怒 |

◎ 他犯了错总是迁怒于人。

53 岂不	qǐbù	【副】	（书面语）难道不
54 拈	niān	【动】	用两三个手指头夹取（东西）；捏 pick up (with the thumb and one or two fingers)

◎ 他从钱夹里拈出一张十元钞票。

55 盘桓	pánhuán	【动】	短时间停留；不忍离开

◎ 小郑在故乡盘桓了一个多月。
◎ 他们在湖畔盘桓到黄昏。

56 水烟	shuǐyān	【名】	用水烟袋抽的细烟丝 shredded tobacco for water pipes
57 旱烟	hànyān	【名】	装在旱烟袋里吸的烟丝或碎烟叶 tobacco (smoked in a long-stemmed Chinese pipe)
58 无伤大雅	wúshāngdàyǎ		对主要方面没有妨害

◎ 卫生间装修得很漂亮，瓷砖的色彩暗了些，不过倒也无伤大雅。

59 派头	pàitóu	【名】	人的态度和作风

◎ 她才演过两部电视剧，但是派头很大，简直跟大明星似的。
◎ 弟弟参加了模特训练班，现在举手投足都特有派头。

60 烟嘴（儿）	yānzuǐ(r)	【名】	吸纸烟用的短管子 cigarette holder
61 不独	bùdú	【连】	不但

◎ 王教授的讲座不独信息量大，而且生动有趣。
◎ 朗读课文不独能纠正发音，也能培养语感。

62 大褂儿	dàguàr	【名】	身长过膝的中式单衣
63 窟窿	kūlong	【名】	洞；孔
64 坎肩儿	kǎnjiānr	【名】	不带袖子的上衣
65 尼古丁	nígǔdīng	【名】	烟碱 nicotine
66 麻雀	máquè	【名】	鸟的一种 (house) sparrow
67 大方之家	dàfāng zhī jiā		见识广博或学有专长的人 scholar, a learned man, expert

词语练习

一 根据拼音写出词语，然后把它们填在合适的句子里

shǎngshí   jùjué   zhēyǎn   qiānnù   xiáxiǎng   xián

1. "大漠孤烟直，长河落日圆"，仔细（　　　　）这两句古诗，眼前出

现了一幅绝美的画面。

2. 工作中出了差错，他总是勇于承担，从不（　　　　）于别人。

3. 读历史书总能让我（　　　）遥远年代的故事。

4. 这个年级的学生中王教授最（　　　）刘冰，总说他勤奋。

5. 我小时候，女孩子都爱（　　　）一颗又酸又甜的话梅，男孩子却很少吃。

6. 我每次失误，同事老王总想办法替我（　　　），时间一长，我欠他不少人情。

> kūlong　guànzi　pàitóu　sāibāngzi　lúnkuò　shénqì

7. 老主任讲解着试验室的操作规定，脸上的（　　　）非常严肃。

8. 这件事我只知道（　　　），详情要问当事人。

9. 在剧组，里他跟普通演职员一起吃住，毫无大明星的（　　　）。

10. 春节放爆竹时我不小心，裤子上被烧了几个（　　　）。

11. 照片上几个美丽的女子头顶着装水的（　　　），行走在乡间的小路上。

12. 小陈牙疼，捂着（　　　）去了医院。

二 把左边的生词和右边相应的解释连接起来

1. 无伤大雅		A. 不影响主要的方面
2. 捉摸		B. 短时间停留
3. 三昧		C. 用两个手指捏
4. 腻味		D. 一起生活的人
5. 说闲话		E. 不懂业务或没有经验
6. 盘桓		F. 关键性的方法
7. 满不在乎		G. 随便谈谈
8. 霎时间		H. 极短的时间
9. 稀罕		I. 厌烦
10. 外行		J. 认为少而喜爱
11. 伴儿		K. 猜测；预料
12. 拈		L. 一点儿也不放在心上

三 用第二题中的词语填空

1. 周末几个老朋友一起_____，讲了许多当年的趣事。

2. 其实房租并不那么高，我找人跟我合租房子，主要是为了找个_____。

3. 化验结果还没出来，家里人都担心他，可他倒_____。

4. 恋爱中的青年男女情绪难以_____。

5. 你的作文写得很感人，虽然有几个词用得不妥，不过_____。

6. 在一大堆贺卡中，他发现了一张比较特别的，于是_____出来细看了一下。

7. 我们不得不改变旅行计划，在丽江_____一阵子。

8. 听这话就知道您是个_____，"老抽"是酱油不是酒。

9. 丈夫出差带回几个漂亮的小泥人，妻子_____极了。

10. 超市里反复播放这几首歌，听得人都_____了。

11. 一声闷雷响过，_____下起了倾盆大雨。

12. 老作家将写作的_____概括为：细致观察、深刻思考。

语言点

1 倒

● 有人说："抽烟有什么好处？还不如吃点口香糖，甜甜的，倒不错。"

副词"倒"的用法很多，举例来说：

（一）表示事情不是那样，有否定、责怪的语气。例如：

（1）你说得倒轻松，自己试试，就知道刷漆也是个技术活了。

（2）你想得倒美，博士不是那么容易考上的。

（3）骑车游中国？你说的倒容易！

（二）表示出乎意料。例如：

（1）我写的书老师没看上，随便写的一篇小文章，老师倒很赏识。

（2）想不到上海这个大都市的物价倒不那么贵。

（3）明明是他出了差错，我没说什么，他倒气鼓鼓的。

（三）表示转折，"倒"后面多用表示积极意义的词语。例如：

（1）虽然我们的队员身高不占优势，球技倒都是一流的。

（2）他们家并不富裕，日子过得倒挺开心。

（3）这家小店不太大，装饰得倒很别致。

（四）表示让步，"倒"用于前一分句，后一分句常常有"可是""但是""就是""不过"等与之呼应。例如：

（1）我倒是一直想去趟西藏，可是抽不出时间。

（2）鞋子的样子倒不错，就是颜色有些古怪，不太好搭配衣服。

（3）老王为人倒不错，不过脾气太坏，很难相处。

（五）表示舒缓语气。例如：

（1）周末在家看看书，听听音乐，倒挺悠闲。

（2）能借出差的机会回老家看看父母，倒也不错。

（3）老贾倒不是有意让你难受，只是说话欠考虑。

2　准

● 不用说，你知道这准是外行。

"准"在这里是副词，表示一定会出现某种情况或结果。例如：

（1）放心吧，明天一早我准把你需要的书送来。

（2）我劝你别去碰钉子了，爸爸准不同意你换专业。

（3）这是名医给开的药方，准能药到病除。

3　……居多

● 口香糖也许不错，可是喜欢的怕是女人孩子居多。

表示某一类人或事物占大多数，前面常常有限定范围的成分，有时和介词"以"配合使用。例如：

（1）本公司业务对外语要求很高，所以有出国留学背景的员工居多。

（2）母亲喜欢听音乐，她收藏的CD中古典音乐的居多。

（3）常爬山的人以中老年人居多，年轻人比较少。

4　不时

● 腮帮子上凸出一块，嘴里又不时地嘬儿嘬儿的。

副词，表示某种动作、行为、情况等不定期地多次出现或发生，时间间隔比较短，有时也说成"时不时"。例如：

（1）这个讲座的时间太长了，很多听众都不时地看看手表。

（2）看台上不时传出球迷的惊叹声。

（3）老杨的气管炎犯了，夜里时不时地咳嗽。

5 说不上

● 抽烟说不上是什么味道。

　不能明确地说出。可以单用，也可以带宾语。例如：

（1）A：川菜和粤菜哪种更好呢？

　　　B：说不上，要看个人的口味了。

（2）听了他的话，我心里说不上是什么滋味。

（3）那儿的风景有多美，我也说不上，反正你一到那儿就不想走了。

　"说不上"还可以表示因为不够条件或不可靠而无须提起或不值得提。例如：

（4）这些野史都说不上有什么史料价值。

（5）这篇文章的观点说不上新，不过有些材料倒还可以参考。

6 必然

● 那时候你必然闲得无聊：特别是两只手，简直没放处。

　形容词，表示按道理一定会如此，跟"偶然"相对。例如：

（1）经济发展的水平和国民素质的高低有必然的联系。

（2）你生活不规律，心理压力大，对疾病的抵抗力下降是必然的。

（3）工作压力太大必然会导致身体和心理的疾病。

7 不妨

● 要是生气，也不妨迁怒一下，使劲儿吸他十来口。

　副词，语气比较委婉，表示可以这样做，没有什么妨碍。例如：

（1）去医院看望病人，你不妨买上一束鲜花。

（2）我们不妨先看看这本自助游手册，定一个旅行计划。

（3）依我说，不妨请教一下王先生，他的主意多，办事也果断。

8 岂不

● 客来了，若你倦了说不得话，或者找不出可说的，干坐着岂不着急？

　副词"岂"表示反问，意思是"难道"，跟"不"连用，加强反问的语气，表示肯定，是书面语。例如：

（1）你别琢磨了，直接去找老王问个明白，岂不省事？（直接问老王省事）

（2）多买两张票，让你岳父岳母也来看演出，岂不皆大欢喜？（让岳父岳母来看演出就皆大欢喜了）

（3）每天步行去上课，既省钱，又锻炼身体，岂不是一举两得的好事？（步行去上课是一举两得的好事）

语言点练习

一　用所给的词语完成句子或对话

1. A：爷爷，您退休后日子过得怎么样？

　 B：＿＿＿＿＿＿＿＿＿＿＿＿＿＿＿＿＿＿＿＿＿＿＿＿。（倒）

2. 杂志上刊登了几篇介绍九寨沟的文章，还配着照片，＿＿＿＿＿＿＿。（倒）

3. A：我奶奶就喜欢传统的点心，不知道这家商店卖的怎么样？

　 B：这家是远近闻名的老字号，＿＿＿＿＿＿＿＿＿＿＿＿＿。（准）

4. 在论文中，学生提出了不少新观点，＿＿＿＿＿＿＿＿＿＿＿＿。（准）

5. 我们学校有来自不同国家的留学生，＿＿＿＿＿＿＿＿＿。（……居多）

6. A：这次演讲比赛同学们都选了什么话题？

　 B：都不一样，＿＿＿＿＿＿＿＿＿＿＿＿＿＿＿＿＿。（……居多）

7. A：北京的出租车司机特别爱聊天。

　 B：可不是，昨天我坐车去王府井，＿＿＿＿＿＿＿＿＿＿。（不时）

8. 朋友刚搬了家，离我这儿不太远，＿＿＿＿＿＿＿＿＿＿＿。（不时）

9. A：郑和第一次下西洋是哪一年？

　 B：我以前读过郑和的故事，＿＿＿＿＿＿＿＿＿＿＿。（说不上）

10. A：坐在主任旁边的是关先生吗？

　　 B：以前我见过他，＿＿＿＿＿＿＿＿＿＿＿＿＿＿。（说不上）

11. A：最近我总是失眠，白天没有精神，上课无精打采的。

　　 B：你刚来北京，还没习惯这儿，＿＿＿＿＿＿＿＿＿＿＿，过一段时间就会好的。（必然）

12. A：我们并没有特别鼓励孩子学音乐，但他好像天生就对音乐有兴趣。

    B：你们两口子都是搞音乐的，_____。（必然）

13. 想看春节的风俗，_____，在城市里春节的气氛不浓。（不妨）

14. A：我想找一个大学生互相学习，他教我中文，我教他英文。

    B：_____。（不妨）

15. A：我想在学校附近找房子，可是都比较贵。

    B：_____？（岂不）

16. A：我在北京只能待三天，还去不去长城？

    B："不到长城非好汉"，_____？（岂不）

二 用本课学习的语言点回答问题

1. 有个朋友从国外来，我打算请他吃烤鸭，你觉得怎么样？（倒）

2. 我想查几篇论文，不知道图书馆有没有？（准）

3. 来找工作的学生都是英语专业的吗？（……居多）

4. 你病了多久了？哪儿不舒服？（时不时）

5. 北京话和广东话有哪些不同？（说不上）

6. 我是左撇子，我的孩子也会是左撇子吗？（必然）

7. 我要在北京学习三个月，在哪儿可以买到二手的自行车？（不妨）

8. 下了班，我又要接孩子，又要买菜做饭，实在忙不过来，怎么办？
（岂不）

综合练习

一 熟读下面的句子，注意体会加点词的用法，并模仿造句

1. 口香糖也许不错，可是喜欢的怕是女人孩子居多，男人很少赏识这种玩意儿的，除非在美国，那儿怕有些个例外。

2. 抽烟可用不着这么费劲。烟卷儿尤其省事，随便一叼上，悠然的就吸起来，谁也不来注意你。

3. 所以老于抽烟的人，一叼上烟，真能悠然遐想。他霎时间是个自由自

在的身子，无论他是靠在沙发上的绅士，还是蹲在台阶上的瓦匠。

4. 客来了，若你倦了说不得话，或者找不出可说的，干坐着岂不着急？这时候最好拈起一支烟将嘴堵上等你对面的人。若是他也这么办，便尽时间在烟子里爬过去。

5. 今儿大褂儿上一个窟窿，明儿坎肩儿上一个，由它去。一支烟里的尼古丁可以毒死一个小麻雀，也由它去。总之，别别扭扭的，其实也还是个"满不在乎"罢了。

二 根据句子的意思，在括号中选择一个适当的词语

1. 一块口香糖得咀嚼老半天，还是嚼不完，凭你（这样，怎样）斯文，那朵颐的样子，总遮掩不住，总有点儿不雅相。

2. 抽烟说不上是什么味道。勉强说，也许有点儿苦吧。但抽烟的不稀罕那"苦"（就，而）稀罕那"有点儿"。

3. 你打开匣子或罐子，抽出烟来，在桌子上（敲，顿）几下，衔上，擦洋火，点上。

4. 再说那吐出的烟，袅袅地缭绕（着，了），也够你一回两回的捉摸。

5. 黄昏来了，屋子里的东西只剩些轮廓，暂时懒得开灯，也可以点上一支烟，看烟头上的火一闪一闪的，像亲密的低语，只有自己（听得出，听得懂）。

6. 用烟嘴不独麻烦，也小气，又跟烟隔得那么（很远，老远）的。

三 选词填空

叼　　摸　　靠　　堵　　拈　　吸　　蹲

1. 销售人员从皮夹子里_____出一张名片，双手递给顾客。

2. 出门前，小王_____在地上仔细地擦着皮鞋。

3. 爸爸一进门，就从口袋里_____出一块巧克力，给了儿子。

4. 举重运动员深深地_____了一口气，举起了杠铃。

5. 她嘴里_____着吸管儿，慢慢地喝着可乐。

6. 老朱怕热，开会时总是_____窗户坐着。

7. 杂物堆在这里，把出口都_____上了，太不方便啊！

四 根据课文的内容回答下面的问题，并把回答的内容写成一段话

1. 抽烟跟嚼口香糖有哪些不同？

2. 抽卷烟有哪些动作？

3. 抽烟使人产生什么感觉？

4. 怎么理解所谓"游戏三昧"？

5. 为什么好些人把烟看做"伴儿"？

6. 找不出话题时，抽烟能缓解尴尬气氛吗？

7. 抽烟有哪些害处？

8. 抽烟的"内行"和"大方之家"有什么不同？

五 找一个戒了烟的朋友，请他谈谈戒烟的原因和过程。

副课文

你的朋友中有成功戒烟的人吗？你认为戒烟特别需要毅力吗？这篇副课文中的何容先生戒烟的过程特别有趣。

何容先生的戒烟

　　首先要声明：这里所说的烟是香烟，不是鸦片。

　　从武汉到重庆，我老同何容先生在一间屋子里，一直到前年8月间。在武汉的时候，我们都吸"大前门"或"使馆牌"；"大小英"似乎都不够味儿。到了重庆，"大小英"似乎变了质，越来越"够"味儿了，"前门"与"使馆"倒仿佛没了什么意思。慢慢的，"刀牌"与"哈德门"又变成我们的朋友，而与"大小英"，不管是谁的主动吧，好像冷淡的日甚一日。不久，"刀牌"与"哈德门"又与我们发生了意见，差不多要绝交的样子。何容先生就决心戒烟！

　　在他戒烟之前，我已声明过："先上吊，后戒烟！"本来吗，"弃妇抛难"的流亡在外，吃不敢进大三元，喝么也不过是清一色（黄酒贵，

声明 shēngmíng（动，名）公开表示态度或说明真相；声明的文本
鸦片 yāpiàn（名）opium

变质 biàn zhì 事物的本质发生了变化

冷淡 lěngdàn（形，动）不热情，不亲热，不关心；使受冷淡

绝交 juéjiāo（动）断绝友谊和交往关系
戒烟 jiè yān 改掉吸烟的爱好

上吊 shàng diào 用绳子套着脖子悬在高处自杀
流亡 liúwáng（动）因灾荒、战乱或政治上的原因而被迫离开家乡或祖国
清一色 qīngyísè（形）全部由一种成分构成或全都一个样子

只好喝点白干儿），女友不敢去交，
男友一律是穷光蛋，住是二人一室，
睡是臭虫满床，再不吸两枝香烟，还
活着干吗呢？可是，一看何容先生戒
烟，我到底受了感动，既觉自己无
勇，又钦佩他的伟大；所以，他在屋
里，我几乎不敢动手取烟，以免动摇
他的坚决！

何容先生那天整睡了十六个钟
头，一枝烟没吸！醒来，已是黄昏，
他便独自走出去。我没敢陪他出去，
怕不留神递给他一枝烟，破了戒！掌
灯之后，他回来了，满面红光的，含
着笑的，从口袋中掏出一包土产卷烟
来。"你尝尝这个。"他客气的让我，
"才一个铜板一枝！有这个，似乎就
不必戒烟了。没有必要！"把烟接过
来，我没敢说什么，怕伤了他的尊
严。面对面的，把烟燃上，我俩细细
的欣赏。头一口就惊人，冒的是黄
烟，我以为他误把爆竹买来了！烧了
一会儿，还好，并没有爆炸，就放胆
继续的吸。吸了不到四五口，我看见
蚊子都争着往外边飞！我很高兴，既
吸烟，又驱蚊，太可贵了！再吸几口
之后，墙上又发现了臭虫，大概也要
搬家。我更高兴了！吸到了半枝，何
容先生与我也跑出去了！他低声的

白干儿 báigānr（名）白酒 spirit usu.
　　distilled from sorghum or maize;
　　white spirit
穷光蛋 qióngguāngdàn（名）（含有轻
　　蔑意）穷人
臭虫 chòuchong（名）一种吸食人畜的
　　血液的昆虫
钦佩 qīnpèi（动）敬重佩服
以免 yǐmiǎn（连）表示目的是使下文
　　所说的情况不至于发生
动摇 dòngyáo（动）使不稳固；不坚定

留神 liú shén 注意；小心
破戒 pò jiè 原指信教的人违反宗教戒
　　律，也指戒烟、戒酒以后重新抽
　　烟、喝酒 break a religious precept,
　　break one's vow of abstinence
掌灯 zhǎng dēng 点灯（指油灯）
土产 tǔchǎn（形）某地出产的
铜板 tóngbǎn（名）中国过去用的一种
　　硬币
尊严 zūnyán（名）受人尊敬的身份或
　　地位
燃 rán（动）点火；点燃
爆竹 bàozhú（名）用纸把火药卷起
　　来，两头堵死，点着引火线后能爆
　　裂发声的东西，多用于喜庆或节日
　　firecracker
放胆 fàng dǎn 放开胆量 act boldly and
　　with confidence

驱 qū（动）赶走；除掉
可贵 kěguì（形）值得珍视或重视

说："看样子，还得戒烟！"

　　何容先生二次戒烟，有半天之久。当天的下午，他买了烟斗与烟叶。"几毛钱的烟叶，够吃三四天的，何必一定戒烟呢！"他说。吸了几天的烟斗，他发现了：（一）不便携带；（二）不用力，抽不到；用力，烟油射在舌头上；（三）费洋火；（四）须天天收拾，麻烦！有此四弊，他就戒烟斗，而又吸上香烟了。"始作烟卷者，其无后乎！"他说。

　　最近两年来，何容先生不知戒了多少次烟了，而指头上始终是黄的。

（作者：老舍）

烟斗 yāndǒu（名）吸烟用具，多用坚硬的木头制成，一头装烟叶，一头衔在嘴里吸

烟叶 yānyè 烟草的叶子，是制造烟丝、香烟等的原料

携带 xiédài（动）随身带着

弊 bì 害处；毛病

 副课文练习

一　根据副课文回答下列问题

1. 何容先生为什么下决心戒烟？

2. 从武汉到重庆，"我"和何容先生的生活状况怎么样？

3. 戒烟的第一天，何容先生是怎么度过的？

4. 土产卷烟怎么样？

5. 何容先生为什么不喜欢吸烟斗了？

6. 何容先生的戒烟成功了吗？

二 填空

1. 在武汉的时候，我们都吸"大前门"或"使馆牌"，"大小英"似乎都不够味儿。到了重庆，"大小英"似乎变了质，越来越"够"＿＿＿＿＿＿了，"前门"与"使馆"倒仿佛没了什么意思。

2. 可是，一看何容先生戒烟，我到底受了感动，＿＿＿＿＿＿觉自己无勇，＿＿＿＿＿＿钦佩他的伟大。

3. 何容先生那天整睡了十六个钟头，一枝烟没吸！醒来，已是黄昏，他便＿＿＿＿＿＿走出去。我没敢陪他出去，怕不留神递给他一枝烟，破了戒！

4. 头一口就惊人，冒的是黄烟，我＿＿＿＿＿＿他误把爆竹买来了！烧了一会儿，还好，并没有爆炸，就放胆继续的吸。

5. 何容先生二次戒烟，有半天之久。＿＿＿＿＿＿的下午，他买了烟斗与烟叶。

三 分组讨论

1. 说说下列句子的含义

   ① 不久，"刀牌"与"哈德门"又与我们发生了意见，差不多要绝交的样子。

   ② 先上吊，后戒烟！

   ③ 把烟接过来，我没敢说什么，怕伤了他的尊严。

   ④ 最近二年来，何容先生不知戒了多少次烟了，而指头上始终是黄的。

2. 吸烟有害健康，这是尽人皆知的道理，但是烟民的数量似乎并没有减少，请分析一下其中的原因。

3. 请用何容先生的口气完成下面的小短文。

戒烟日记

×年×月×日

今天我们只剩下最后一盒"哈德门"了，我不由得回忆起在武汉的好日子。那时候我们都吸"大前门"或"使馆牌"，"大小英"似乎都不够味儿。可是到了重庆，我们的钱渐渐不够用了。

　　想来想去，我把最后这盒"哈德门"给了同屋的老舍先生。为了节约开支，我下决心戒烟了！

　　当我向老舍先生宣布我的伟大决定时，他竟然说："先上吊，后戒烟！"他的理由很多，

　　决心是下了，但是戒烟的第一天真是难过呀！干什么都没有精神，

　　我昏昏沉沉地爬起来，老舍先生说我已经睡了十六个钟头了！真不可思议！我决定出去走走。已是黄昏时分，外面人来人往的，倒还热闹。我信步走着，瞥见街道的拐角处有个烟摊，不由自主就走上前去。

　　摊主给我介绍了一种本地产的卷烟，一个铜板一枝，便宜得令我吃惊。早知道有这么便宜的烟，我又何苦受了一整天戒烟的罪！

　　我兴冲冲地买了一包，回去与同屋老舍先生分享。

　　我们上气不接下气地跑到门外，我无奈地说："看样子，还得戒烟！"

7

清晨的忠告

▶ 准备

　　中国有句老话："可怜天下父母心。"这篇课文中的母亲深明大义，她对已经步入中年的儿子的忠告让我们对这句老话有了更深刻的体会。请预习课文，并试着回答下面的问题。

> 1. 为什么母亲一大早进城来？
> 2. 母亲是怎么来的？
> 3. 母亲为什么要作者报告买房子的明细账？

> 4. 昨晚电视里播出了什么新闻？
> 5. 在你的母语中，关于母爱有哪些说法？

没有什么比母爱更深沉、更长久。然而，在我已经步入中年的一个清晨，母亲一席振聋发聩的忠告，又让我体会到没有什么比母爱更清醒。

3月的一个早上，窗外细雨如丝，我还在迷迷糊糊地睡着，"砰砰"一阵敲门声把我惊醒。"谁啊！"我嘟囔一声翻身想接着睡。"逸儿，逸儿！"不好，是妈来了。听着母亲叫我乳名，我心里突然紧张起来，一个骨碌爬起来开门。母亲住在乡下，这么一大早来，莫非家中出了什么事？

看母亲进得门来，我都有些呆了。母亲湿漉漉的脸十分苍白，裤管和鞋子沾了许多黄色的油菜花，细雨打湿了她的外衣。母亲去年刚刚因结肠癌动过手术，身体还没完全恢复。我赶紧问："妈，怎么啦？这么早赶来？怎么来的？"母亲一笑："走来的呗，我和你爸心里有事，睡不着，4点钟就起床了。"

天哪！20多里地，羸弱的母亲就这么冒雨走来了。"什么要紧事儿？"我问。"你先上床，别冻着，我有话跟你说。"母亲关切中带着严肃。虽是春季，清明节前还是挺冷的。母亲一提醒，我趿拉着鞋，哆哆嗦嗦地上了床。妻子和孩子也惊醒了，一脸惊讶。

"今天你们都在家，有件事我一直想问你们俩。"母亲随手挪过一张方凳在床边坐下："你们买房子花了多少钱？"妻子笑着说："10万多一点，妈别担心，我们还会像从前一样孝敬您二老。""不是这个意思，我虽有病，家里的地你爸还能种，不过你们花这么多钱买房，钱是从哪儿来的，要跟我说清楚。"母亲用严厉且不容置疑的语调说。我连忙说："原来存了6万多，借了2万贷款，又跟朋友借了一点儿……"我把明细账——报给母亲。母亲松了口气："放心了，我放心了！"可是我和妻子还是摸不着头脑，因为我成家后，一向开明的母亲从不过问经济账，相反总是在无偿地供给我们油、米、蛋等农产品。只见母亲从衣袋里掏出了一个布包，小心翼翼地一层层打开："这里有两千元给你们，我的身体不行，本想留给你爸养老的，你们手头紧，拿着吧。"听母亲这么说，我和妻子更以为出了什么事。母亲见媳妇泪光莹莹，赶紧说："没什么事，昨晚看电视，不知哪个省的大官，好像是个省长吧，收了人家的钱给判刑了，你们看没看？"我告诉母亲，那个人是某个省的副省长。母亲连忙接道："对，对，是个副省长，我和你爸看到他说对不起高堂老母这句话时都哭了，养个孩子不容易，养个有出息的孩子更不容易。官做到这么大，娘老子多风光，出这样的事不等于杀老娘啊。人一顺利就容易张狂，我和你爸合计了一宿，不放心你，今早特意来查查你的账。"母亲喘了一口气接着说："你爸说你小时候忍饥挨饿读书才有了今天这份工作。你年轻，手里也有点儿小权。天狂有雨，人狂有祸，千万不能忘本呀。今早来就这事儿。"

我和妻子恍然大悟。一个副省长被判刑在一个普普通通农村妇女心中产生的冲击，是我们始料不及的。

吃完早饭，母亲坚持要回乡下去。我准备用车送她，母亲却坚决不依："我一个乡下老太婆坐啥车？两条腿就是车！"妻子**再三**说要把钱退给她，母亲坚持不收，千叮咛万嘱咐，一定要记着，不能光宗耀祖也千万别给祖宗抹黑。

看着母亲风雨中坚强的背影，我的心震颤了。我会一辈子记住这个清晨的忠告。

（作者：单逸。有改动。）

词语表

| 1 忠告 | zhōnggào | 【动】 | 诚恳地劝告 sincerely advise, admonish |

◎ 祖父一再忠告我们为人要正直诚实。

| | | 【名】 | 诚恳地劝告的话 sincere advice, advice |

◎ 别把父母的忠告当成耳旁风。

| 2 母爱 | mǔ'ài | 【名】 | 母亲对儿女的爱 |
| 3 步入 | bùrù | 【动】 | （书面语）走进 |

步入会场　步入影视圈　步入新时代

| 4 席 | xí | 【量】 | 用于指所说的话语或成桌的饭菜 |

一席话　一席酒

5 振聋发聩	zhèn lóng fā kuì		声音大得使耳聋的人都能听见。比喻惊人的言论唤醒糊涂麻木的人
6 迷糊	míhu	【形】	模糊不清 unconscious, muddle-headed

◎ 病人发高烧，有时清醒，有时迷糊。

◎ 我的方向感很差，这几条街道把我弄迷糊了。

7 嘟囔	dūnang	【动】	（口语）连续不断地自言自语 mutter to oneself, mumble

◎ 孩子不满意地小声嘟囔着。　◎ 他边做菜边嘟囔着什么。

8 乳名	rǔmíng	【名】	小名 infant name, child's pet name
9 骨碌	gūlu	【动】	（口语）滚动 roll

◎ 酒瓶掉到地上，骨碌到门口。

◎ 糟糕，要迟到了，他一骨碌从床上爬起来。

10 莫非	mòfēi	【副】	表示猜测或反问
11 湿漉漉	shīlùlù	【形】	形容物体潮湿的样子 moist, damp

◎ 他淋了雨，浑身湿漉漉的。

◎ 我正在洗衣服，湿漉漉的手怎么接电话呀？

12 结肠	jiécháng	【名】	大肠的中段 colon
13 孱弱	chánruò	【形】	瘦弱

孱弱的背影　孱弱的身躯

◎ 孱弱的母亲背着一个大包袱在路上颤巍巍地走着。

14 趿拉	tāla	【动】	把鞋后帮踩在脚后跟下

◎ 好好一双鞋，叫你趿拉坏了。

◎ 她嫌这双鞋样子不好，穿不出门，在家里趿拉着穿了。

15 挪	nuó	【动】	移动位置

办公桌被挪到门口了　把柜子往里挪了挪

16 孝敬	xiàojìng	【动】	① 对长辈孝顺尊敬

孝敬父母　孝敬公婆　孝敬老人

② 把物品献给尊长，表示敬意

◎ 孙子带回不少土特产孝敬奶奶。

17 二老	èrlǎo	【名】	指父母
18 严厉	yánlì	【形】	严肃而厉害

◎ 我遭到了严厉的批评。◎ 儿子的班主任特别严厉。

19 不容置疑	bùróng zhìyí		不允许有什么怀疑

◎ 这些数字经过反复调查核对，真实可信，不容置疑。

20 贷款	dàikuǎn	【名】	银行借给需要者的钱 loan, credit

贷款计划　低息贷款　申请到一笔助学贷款

		【动】	银行借钱给需要者

◎ 银行拒绝贷款给这家私营企业。

◎ 当地的银行给他们贷了一笔款。

21 明细账	míngxìzhàng	【名】	明白而详细的账目
22 一一	yīyī	【副】	一个一个地
23 报	bào	【动】	①告诉

报名　报账　报数

			②回答

◎ 他的演讲很精彩，听众们报以热烈的掌声。

24 成家	chéng jiā		（男子）结婚

◎ 老人的两个儿子都成了家。

25 一向	yíxiàng	【副】	表示从过去到现在，多用于习惯性、可重复性的行为

26 过问	guòwèn	【动】	①参与；参加意见

◎ 这位邻居总是过问我们家的私事。

◎ 我们这些小职员根本无权过问公司的机密。

②表示关心

◎ 他每天都要打电话过问年老父母的饮食起居。

◎ 宿舍的水管子坏了，一直无人过问。

27 无偿	wúcháng	【形】	不要代价的；没有报酬的 free, gratis, gratuitous

无偿帮助特困家庭

◎ 眼镜店提供清洗眼镜等无偿服务。

28 农产品	nóngchǎnpǐn	【名】	农业中生产的物品
29 小心翼翼	xiǎoxīn yìyì		小心谨慎，一点儿也不敢马虎大意

◎ 搬动那个大瓷花瓶时他不得不小心翼翼的。

◎ 学生小心翼翼地回答教授们的问题。

30 手头	shǒutóu	【名】	①指伸手可以拿到的地方

◎《现代汉语词典》我常用，就放在手头。

◎ 降血压的药母亲一直放在手头备用。

②个人某一时候的经济情况

手头很宽裕　手头比较紧

32 媳妇	xífù	【名】	课文中指儿子的妻子。也叫儿媳妇
32 高堂	gāotáng	【名】	（敬称）指父母

33 老子	lǎozi	【名】	（口语）父亲
34 风光	fēngguang	【形】	热闹；体面 bustle, excitement, respectable, creditable, dignity

◎ 儿子成了名人，父母觉得很风光。
◎ 等你出息了，我们也跟着风光。

35 张狂	zhāngkuáng	【形】	放肆；轻狂 flippant and impudent, insolent
36 合计	héji	【动】	商量

◎ 两口子合计了一下儿子结婚的事。
◎ 大家一起合计合计作文比赛的事。

37 宿	xiǔ	【量】	用于计算夜 used for counting nights

住了两宿　谈了半宿　整宿没睡觉

38 特意	tèyì	【副】	表示专为某个目的

◎ 他怕打电话说不清楚，特意跑来通知我。
◎ 妻子喜欢红色，丈夫特意给妻子买了件红毛衣。

39 权	quán	【名】	权力，指职责范围内的支配力量 scope of power, extent of authority
40 狂	kuáng	【形】	极端的自高自大 arrogant, overbearing

◎ 他刚发表了两首诗，就以著名诗人自居，真是太狂了！
◎ 我看不惯他那副狂样子！

41 忘本	wàng běn		境遇变好后忘掉自己原来的情况和得到幸福的根源 forget one's past suffering, forget where one's happiness come from

◎ 他刚过了几天好日子，就忘了本了。

42 恍然大悟	huǎngrán dàwù		一下子明白过来了

◎ 我一直没想通这个问题，经她指点，才恍然大悟。

43 老太婆	lǎotàipó	【名】	老年妇女
44 再三	zàisān	【副】	一次又一次，后多跟与说话有关的词语
45 叮咛	dīngníng	【动】	反复地嘱咐

◎ 领导再三叮咛秘书保管好重要文件。
◎ 妈妈千叮咛万嘱咐让我注意身体。

46 光宗耀祖	guāng zōng yào zǔ		为宗族、祖先增添光彩 bring honor to one's ancestors
47 祖宗	zǔzong	【名】	一个家族的上辈，多指较早的。也泛指民族的祖先 forefather, ancestry, forebears

| 48 背影 | bèiyǐng | 【名】 | 人体的背面形象 |

◎ 望着父亲远去的背影，诗人不禁流下了眼泪。

| 49 震颤 | zhènchàn | 【动】 | 颤动；震动 tremble, quiver |

◎ 气得老人浑身震颤。

| 50 一辈子 | yíbèizi | 【名】 | 一生 |

◎ 他一辈子没离开过故乡。

◎ 爷爷一辈子经历过好多不幸的事情。

◉ 专名

| 清明节 | Qīngmíng Jié | 中国传统节日之一，在4月4、5或6日。民间习惯在这天扫墓 |

➡ 词语练习

 根据拼音写出词语，然后把它们填在合适的句子里

> dīngníng héji guòwèn nuó dàikuǎn xiàojìng

1. 爷爷奶奶经常来电话（　　　　）宝贝孙子的身体和学习情况。

2. 他工作没几年，就（　　　　）买了一套有三居室的大房子。

3. 中年人要搞事业，还要（　　　　）父母，抚养孩子，压力很大。

4. 让她这个马大哈照顾孩子，我真不放心，不得不一遍遍地（　　　　）她。

5. 客厅太小，不得已我把那个旧柜子（　　　　）到了阳台上。

6. 我正跟小刘（　　　　）演讲比赛的事情呢，正好你们都来了，给出出主意吧。

> fēngguang míhu yánlì zhāngkuáng wúcháng shīlùlù

7. 他在长辈面前翘个二郎腿，我看不上他那（　　　　）的样子！

8. 这位老人参加过七次（　　　　）献血，真令人钦佩！

9. 你的头发还（　　　　）的，这样出门容易感冒。

10. 考试时，我一紧张就（　　　　）了，复习过的题目也想不起来了。

11. 堂妹的婚礼在大饭店举行，还请来了不少名人，办得可（　　　　）了！

12. 教授指出我的论文中有几处常识性的错误，态度非常（　　　　）。

二　根据意思写出生词，并填空

　A. 自言自语　　　　　　　　　　（　　　　）

　B. 瘦弱　　　　　　　　　　　　（　　　　）

　C. 一下子明白了　　　　　　　　（　　　　）

　D. 个人某一时候的经济情况　　　（　　　　）

　E. 诚恳的劝告　　　　　　　　　（　　　　）

　F. 走进　　　　　　　　　　　　（　　　　）

1. 他刚继承了一笔遗产，最近（　　　　）比较宽裕。

2. 我的同屋是个怪人，我好几次听见他一个人小声地（　　　　）。

3. 他俩相爱了好多年，春节刚（　　　　）婚姻殿堂。

4. 她的外表文静（　　　　），内心却非常坚强。

5. 老刘跟我是同乡，他（　　　　）我不要跟那些不三不四的人交往。

6. 看到他俩穿着一样的T恤，我才（　　　　），原来这是一对情侣。

语言点

1　莫非

● 母亲住在乡下，这么一大早来，莫非家中出了什么事？

　副词，常用在句首。

　（一）表示猜测，相当于"是不是"。例如：

　（1）他们怎么还没到？莫非路上堵车了？

　（2）这家酒楼突然关门了，莫非出了什么事？

　（3）他们没在宿舍，莫非利用假期旅行去了？

　（二）表示反问，相当于"难道""难道说"，常和"不成"配合使用。例如：

　（1）你总是说忙，莫非只有你一个人上班，我们都是闲人？

　（2）人家不愿意帮忙，莫非我强迫人家帮忙不成？

（3）连一份简单的设计都做不了，莫非你的大学白念了不成？

2　一 + 身体部位词语 + 名词/形容词

● 妻子和孩子也惊醒了，一脸惊讶。

"一"表示整个，全，满。例如：

（1）他刚修完车，一手机油。

（2）母亲一大早走了二十多里路，走得一身汗。

（3）警察示意我靠边停车，搞得我一头雾水。

（4）刚进门时他一脸兴奋，怎么这会儿又一脸阴沉了？

3　一一

● 我把明细账一一报给母亲。

副词，表示动作、行为一个一个地依次发生或出现。例如：

（1）最近事情较多，为了避免忙中出错，我把要做的事一一列在记事本上。

（2）答辩委员会的专家们就论文的内容一一提出问题。

（3）为了节省时间，文件的内容我就不一一念了，会后请大家传阅一下。

4　一向

● 我成家后，一向开明的母亲从不过问经济账，相反总是在无偿地供给我们油、米、蛋等农产品。

表示某种行为、情况或状态从过去到现在一直保持不变。例如：

（1）爷爷一向生活俭朴。

（2）我们公司一向把顾客的利益放在第一位，非常重视售后服务。

（3）王府井一向是北京最繁华的商业区，店铺林立、服务设施齐全。

注意："一向"不能用于表示暂时性或阶段性动作或情况的句子中。例如：

（1）妹妹从早上到现在一向哭。（×）

　　妹妹一向爱哭。（√）

（2）她去国外旅行了一个月，一向高兴。（×）

　　她一向喜欢去国外旅行。（√）

5　再三

● 妻子再三说要把钱退给她，母亲坚持不收。

一次又一次地，多次。

（一）用在动词前，动词多为与说话有关的动词。例如：

（1）妈妈出门前，再三嘱咐我走前一定要关好煤气，锁好门。

（2）我好清静。朋友再三邀请，我不得已去参加了他的生日晚会。

（3）为了让我们安心，保姆再三表示会照顾好爷爷奶奶。

（二）用在"考虑""思考"等动词后，后面有停顿。例如：

（4）考虑再三，他还是决定辞掉现在的工作。

（5）教授思考再三，在学生报告的结论部分画了个问号。

（6）为了选专业的事，小马斟酌再三，始终拿不定主意。

语言点练习

一 用所给的词语完成句子或对话

1. 刚才的讨论课上你一言不发，_____？（莫非）

2. 我记得胡同口有个报亭，走几步还有家花店，怎么都不见了，_____
_____？（莫非）

3. 小男孩儿显然刚跟人打了架，_____。（一 + 身体部位词语）

4. 那几个球迷说起昨天晚上的球赛，_____。
（一 + 身体部位词语）

5. 公司成立十周年的晚会邀请了几十位嘉宾，_____。
（一一）

6. 小黄讲究货比三家，他为买个空调，跑了十几家电器城，_____
_____。（一一）

7. A：真奇怪，今天小王和小李怎么见了面谁也不理谁？

　 B：是啊，_____，见了面总是有说有笑的。
　 （一向）

8. A：老刘感冒了。

　 B：最近感冒的人多，_____，也病了。（一向）

9. A：听说你打算出国留学，手续都办好了吗？

B：父母身体不好，我不放心，＿＿＿＿＿＿＿＿＿＿＿＿＿＿。（再三）

10. 老阎特别客气，我帮了他一点儿忙，＿＿＿＿＿＿＿＿＿＿＿＿。（再三）

二 用本课学习的语言点回答问题

1. 我给家里打了一天电话，总占线，你说不会出什么事吧？（莫非）

2. 怎么搞的？你好像刚从水里捞出来一样。（一＋身体部位词语）

3. 明天的口语考试怎么安排？（一一）

4. 我想买台电脑，什么牌子的好？（一向）

5. 你说那位大夫真的能治好我孩子的病吗？（再三）

综合练习

一 熟读下面的句子，注意体会加点词的用法，并模仿造句

1. 没有什么比母爱更深沉、更长久。然而，在我已经步入中年的一个清晨，母亲一席振聋发聩的忠告，又让我体会到没有什么比母爱更清醒。

2. 虽是春季，清明节前还是挺冷的。

3. 母亲一提醒，我跐拉着鞋，哆哆嗦嗦地上了床。

4. 我成家后，一向开明的母亲从不过问经济账，相反总是在无偿地供给我们油、米、蛋等农产品。

5. 听母亲这么说，我和妻子更以为出了什么事。

6. 母亲坚持不收，千叮咛万嘱咐，一定要记着，不能光宗耀祖也千万别给祖宗抹黑。

二 根据句子的意思，在括号中选择一个适当的词语

1. 母亲一（席、套）振聋发聩的忠告，又让我体会到没有什么比母爱更清醒。

2. 母亲住在乡下，这么一（大早、早晨）来，莫非家中出了什么事？

3. 我赶紧问："妈，怎么啦？这么早赶来？怎么来（了，的)?"母亲一笑："走来的呗。"

4. "你们花这么多钱买房子，钱是从哪儿来的，要跟我说清楚。"母亲用严厉且不容置疑的（声音、语调）说。

5. 我把明细账一一报给母亲。母亲（松、喘）了口气："放心了，我放心了！"

6. 一定要记着，不能光宗耀祖也千万别给祖宗（涂、抹）黑。

7. 看着母亲风雨中坚强的背影，我的心（震颤、哆嗦）了。

□三 **仿照例句，把下面各组句子合为一句**

例：我已经步入中年。

母亲一大早赶来给了我一番忠告。

→母亲一大早赶来，给了已经步入中年的我一番忠告。

1. 母亲从门外进来，脸十分苍白。

母亲从门外进来，脸湿漉漉的。

2. 母亲冒雨走了20多里地。

母亲很孱弱。

3. 母亲一向开明。

我成家后，母亲从不过问我们的经济账。

4. 他曾当过江西省的副省长。

他因为受贿触犯了法律。

5. 我手里有了点儿小权。

我让父母放心不下。

6. 我小时候忍饥挨饿读书。

我现在有了一份像样的工作。

□四 **根据课文内容回答下面的问题，并把回答的内容写成一段话**

1. "我"父母住在哪里？他们靠什么为生？他们的身体怎么样？

2. "我"成家后住在哪里？家里有几口人？

3. "我"小时候家里的经济情况怎么样？

4. "我"现在做什么工作？

5. "我"买房子花了多少钱？这笔钱是哪儿来的？

6. 母亲了解"我"家的经济情况吗？

7. 昨天晚上父母看了什么电视节目？他们看了以后有什么反应？

8. 父母看了电视后决定做什么？

9. 母亲什么时候来看"我"的？怎么来的？

10. 母亲给"我"带来了什么？又嘱咐了"我"什么话？

11. "我"怎么看待母亲这番清晨的忠告？

五　在你的母语中，关于母爱，有哪些说法？请介绍一下自己的母亲，写一件感人的小事。

"我"为了生活出租了一间房子，于是有机会结识各种各样的房客，体会他们生活中的各种难言的苦衷。请阅读这篇副课文，试着走进房客们的内心世界。

苦　衷

这两年，单位里效益不好。为了生活，我不得不挖空心思想办法挣钱。我家的房子地理位置好，我跟老婆一商量，决定将家里的房子租出去一间。于是每当亲友们关切地问我："现在忙什么呢？"我总是自嘲地回答："搞房地产呢！"

我的房客都是有高学历的文化人。第一位房客是个20来岁的小伙子，在广告公司搞美术，东北人，嘴很甜，平时总是"大哥、大姐"地叫着。"小东北"回来很晚，常常顾不上洗澡就睡了。我老婆爱干净，一天，她突然朝我挤眉弄眼的，我半天才明白过来：是为了"小东北"扔在门厅里的臭旅游鞋呀！

第二位房客是大连来的男青年，大眼睛、瘦瘦的，脸上棱角分明。他曾在大连教钢琴，因为想出国，跟家里要了笔钱，携女友到北京办签证，

苦衷 kǔzhōng（名）痛苦或为难的心情
效益 xiàoyì（名）效果和利益
挖空心思 wākōng xīnsi 费尽心机，想尽一切办法 rack one's brains

房地产 fángdìchǎn（名）房屋、土地方面的财产
学历 xuélì（名）求学的经历

挤眉弄眼 jǐ méi nòng yǎn 以眉眼的小动作示意

门厅 méntīng（名）大门内的厅堂

棱角 léngjiǎo（名）物体的边角和尖角 edge and corner

签证 qiānzhèng（名）visa

可是签证受阻，出国的事就拖延下来。出国改成了国内旅游，仅仅几个月，他的钱却花掉了一大半。两个人因此发生了口角，女友一气之下飞回大连了。

一天，这位"钢琴家"请我喝酒。在一家密密麻麻地坐满了年轻人的酒吧里，他一杯接一杯地喝着啤酒，突然不作声了，我发现他的眼里闪着泪花。"大哥，我出国没戏了，女朋友吹了，钱快花光了，没脸回家了，我烦透了。你说，我可咋办呢？"

我劝他在北京教钢琴，他嫌太累又赚不着大钱。他甚至劝我跟他一同南下，闯世界去。"大哥，别犹豫了，都三十多了，再不走没机会了！"

"可我不像你，可以拔腿就走啊！我有家……"我这个人，一怕老婆二没魄力。在一个阳光灿烂的早晨，"钢琴家"不辞而别。

第三位房客是个女学生，说是在外语学院学英语。女学生文静漂亮，也很懂礼貌，晚上回来就在房间里读英语，听磁带。"叮咚！"一个周末的傍晚，门铃响了，我一开门，一个大纸箱子闯了进来，箱子后面是一个矮个子男人。女学生介绍说："这是我表哥，给我送台电脑。"我发现女学

阻 zǔ（动）拦挡

拖延 tuōyán（动）推迟或延长时间，不尽快办理

口角 kǒujué（名）因意见不合或利益冲突而产生的吵嘴 quarrel, bicker, wrangle

密密麻麻 mìmìmámá（形）（多指小的东西）又多又密

作声 zuòshēng（动）发出声音，如说话、咳嗽、哭、笑等

没戏 méi xì 没指望；没希望

魄力 pòlì（名）指处置事情所具有的胆识和果断的作风 daring and resolution, boldness

灿烂 cànlàn（形）光彩鲜明耀眼

不辞而别 bù cí ér bié 没有告别就离去了，悄悄地溜走了

文静 wénjìng（形）（性格、举止等）文雅安静

门铃 ménlíng（名）安装在门内的铃，拉绳或铃键在门外，门外人可拉动绳子或按动铃键唤人开门 doorbell

生完全变成了另外一个人：睫毛变长了，嘴唇变红了。女学生下楼送"表哥"，一走就是三天。

后来，经常有男子打电话来，邀请她外出。我儿子在阳台上说，楼下等阿姨的车有时是黑的，有时是白的，有时是红的……

女学生不想再给我们添麻烦，知趣地搬走了。走时还特意买了一件精美的玩具送给我儿子。

知趣 zhīqù（形）知道别人的意向，不惹人讨厌
精美 jīngměi（形）精致美好
玩具 wánjù（名）专供儿童玩儿的东西

在收拾房间时，老婆无意中发现了一页写了一半的家信。

小妹：

时间真快，来北京已经两年了，一切都好，勿念。

勿 wù（副）不要

咱妈病好点了吗？你没考上大学，真为你遗憾。家里太困难了，我希望你再努把力，争取明年考上大学，逃出贫穷、落后的家乡。我边上学边打工，会在经济上帮助你……弟弟还逃学吗？一定要让他上学！今寄去一些钱，给妈买些营养品，你自己买条裙子，给弟弟买个漂亮的书包……

我和老婆默默无语。

默默无语 mòmò wúyǔ 不说话；不出声

"叮咚！"门铃响了，又一位房客来了……

（原题目为《骚客的苦衷》，
作者：田继跃）

副课文练习

一 根据副课文回答下面的问题

1. "我"老婆"朝我挤眉弄眼的"是想告诉"我"什么?

2. 大连来的"钢琴家"有什么苦衷?

3. "钢琴家"不辞而别,可能去了哪里?

4. 女学生的家里有几口人?她有什么苦衷?

5. 女学生为什么搬家?

6. 根据自己对副课文的理解,填写下表:

	第一位房客	第二位房客	第三位房客
	小东北	钢琴家	女学生
年龄	20来岁		
家乡		大连	
职业			外语学院学英语
来京原因		办出国签证	
特点	嘴甜,卫生习惯差		
苦衷		出国没戏了,女朋友吹了,钱快花光了,没脸回家了	
画像			

二 分组讨论

1. 分角色扮演三位房客、"我"和"我"妻子,根据自己的想象写出人物之间的对白。

2. 你租过房子住吗?请介绍一下你的房东。

3. 除了价钱以外,租房子还要考虑哪些因素?如果你的朋友要来北京学汉语,你会建议他(她)租什么样的房子?

城隍庙——上海的襁褓

准备

这一课是关于上海城隍庙历史的文章。作者把城隍庙称为"上海的襁褓",认为城隍庙孕育出了一种文化。请预习课文,并试着回答下面的问题。

1. 你去过上海吗?你逛过城隍庙和豫园吗?谈谈你对上海的印象。

2. 第三课讲了北京人,你能说说北京人和上海人的不同特点吗?

3. 秦裕伯是谁?

4. 第七段说"这是一个将嘉兴的粽子和麦当劳的汉堡挂在一块卖的地方","嘉兴的粽子"和"麦当劳的汉堡"分别代表了什么?

5. 为什么把城隍庙称为"上海的襁褓"?

小贴士

老城隍庙位于方浜中路,东至安仁街,北通福佑路,西至旧校场路。老城隍庙与其后面的豫园不仅是游览的名胜,而且是购物的好去处。这儿不仅有小商品、土特产和特色商品市场,而且有大型综合商场和名点小吃。要想带初访上海的游客来体验上海特色,老城隍庙总是首选:绿波廊的上海菜,豫园的小景致,老城隍庙的特色手工艺品,都会让人觉得不虚此行。

《中国自助游》

一座城市，总要有这样一个地方，在无意中保留下童年的乐园。

那里是城市最初的回忆，哪怕在滴水穿石的时间面前，它也总是保持最执拗的姿态。上海老城厢内的城隍庙和豫园，便是这样的一个地方。这方圆不足一公里的地方，已经整整热闹了几百年。

打开中国古代人物的长卷，秦裕伯实在算不上是一个很有名的人物，但他却成了上海的城隍，一座城市的保护神。关于他的历史记载是，明朝开国后，朱元璋屡次请他出来当官，而这个有"智谋之士"之称的上海人，直到"实在推不掉才勉强入朝"。秦裕伯死后，朱元璋封他为上海"城隍之神"。

永乐年间，上海县正式建城隍庙的时候，不知道知县出于什么考虑，用位于城中心的霍光行祠来改建。与此相隔不久，就在城隍庙的隔壁，豫园开始修筑，一个叫潘允瑞的上海人为"愉悦老亲"，修造了这么一个花园。乾隆年间，豫园卖给了城隍庙，改为它的"西园"，这以后，园中重建了湖心亭和九曲桥。

这些都是旧话，对于城隍庙和豫园的今天而言，自从有了秦裕伯和霍光，这方水土总算有了现实中的源头。如果算上更多是一个商人角色的潘允瑞，这么一块地方，恰巧集中了文武商的多重性格。这多少为构建一个市俗提供了很好的基因。

上海是一碗浓汤，城隍是浓汤的底料。普天之下的城隍庙不知道有多少，有意思的是，唯独上海的这座最终被十里洋场团团包围，从小县城到大都会，城隍庙是上海最后的根，同时也随着这个城市完成了它的变异。

城隍庙紧挨着外滩，步行过去也很快便能到达。从洋人造的房子和街道穿过去，你都不知道自己是什么时候穿过了那条过渡地带，就走进了今天的城隍庙。事实上，你不用将这里想象成是一个庙宇，或

者一条每踩下去一脚都冒出来历史的老街。这是一个将嘉兴的粽子和麦当劳的汉堡挂在一块卖的地方。它是一种市俗的存在，总是能在不同的时候，为自己找到最合适的生存方式。就像今天，这种市俗更多的是一种建立在游客基础上的商业文化，不是说原本的市俗不存在了，你可以将这看做是一种被异化了的市俗文化，总归有人掏钱，有人收钱，人们在这里各取所需。城隍庙就是这么自然，不经意地就成了这个城市市俗的标本，并因此乐在其中。

热闹也总是一样的，九曲桥上行人熙熙攘攘了几百年，拖着长辫的，穿着长衫的，打着领带的，他们鱼贯而入，并终将在另一个时空里消失。

1855年，当豫园里的湖心亭也被改建为茶楼的时候，城隍庙实际上就已经成为了一个鱼龙混杂的市井之地。不要小看了市井之地孕育出来的文化。一个馄饨担，它也包含了面料肉馅、锅桶匙碗、油盐酱醋、小灶柴火等各种所需物件。你又怎么能说从年糕团、蟹壳黄、酒酿圆子、臭豆腐干、烤山芋、热白果、沙角菱、梨膏糖这些如今依旧在城隍庙里随处可寻的吃食里，得到的仅仅是对美味的回忆？

在城隍庙的街角弄口，补碗的、箍桶的、捏面人儿的、代写书信的、变戏法的、看西洋景的、拔牙的、相命的……这些人已经不多见了，他们和着鼻烟壶、牙霜、水瓶塞、针箍、鸡毛帚等逐渐隐退为历史。

这种由于生存的需要而构建起来的市俗文化，其坚韧往往超乎人的想象。1924年8月15日，旧历中元节的时候，这一天，秦裕伯的神像被抬着，浩浩荡荡巡游他的城市和子民去了。他不知道，在他刚走出不远的时候，庙内已经大火冲天，一边是威风凛凛的视察，一边是呼天抢地的逃奔，保佑城市的人最终没有能保佑自己，秦裕伯像是一个黑色幽默中的主角，带着微笑回来，面对的是一片灰烬。换做常人，他就要无家可归了，好在这里是一块宝地，无数的商家要借以生财，少了这个城隍，还真不好办。快得很，一年多的时间，当时上海滩上像黄金荣、杜月笙这样的大腕就已筹足了银两，造了一个全钢筋水泥制的仿古城隍庙。

秦裕伯终于回家。木头的房子也好，钢筋的房子也好，都不是最重要，重要的是记忆的根须没有灭绝。从那以后，城隍庙和豫园里还是一个热闹的中心，每年的十五元宵，这种热闹被推向了极致，牵着兔子灯的孩子们在人群的缝隙里窜来窜去，点点灯火最终点燃起整个城市童年的回忆。

（选自《南方周末》，作者刘建平。有改动）

◉ 注释

1. 朱元璋（**Zhū Yuánzhāng**，1328—1398）明代的建立者。幼名重八，又名兴宗，字国瑞，濠州钟离（今安徽凤阳）人。1352年参加郭子兴领导的红巾军，起义抗元。1356年攻下集庆（今南京），1368年建都南京，国号明，年号洪武。同年攻克大都（今北京），推翻元朝统治，以后逐步统一全国。

2. 永乐，明成祖朱棣（1360—1424），是明朝第三位皇帝，1402年—1424年在位，在位22年，年号永乐。

3. 霍光（？—前68），字子孟，河东平阳（今山西临汾）人，西汉权臣、政治家，官至大司马、大将军，被封为博陆侯。

4. 黄金荣（1868—1953）生于江苏苏州。旧上海赫赫有名的青帮头目，与杜月笙、张啸林并称上海滩上青帮三大亨。

5. 杜月笙（1888—1951），江苏省上海县（今属上海市浦东新区）人，是旧上海青帮中最著名的人物之一。

词语表

1 城隍庙	chénghuángmiào	【名】	供奉城隍（传说中负责管理某个城的神）的处所
2 襁褓	qiǎngbǎo	【名】	包裹婴儿的被子和带子 swaddling clothes
3 无意	wúyì	【副】	不是故意的

◎ 我无意中发现了一家书店

◎ 在小镇旅行时，小王无意中遇见了当地人的婚礼。

4 童年	tóngnián	【名】	儿童时期；幼年

童年时代　童年生活　童年的朋友　在乡下度过童年

5 乐园	lèyuán	【名】	快乐的园地 paradise

儿童乐园　家是他的乐园

6 滴水穿石	dī shuǐ chuān shí		滴下来的水，时间长了可以把石头打穿。比喻只要坚持，力量小也可以把艰难的事情办成
7 执拗	zhíniù	【形】	固执任性，不听从别人的意见 stubborn, pigheaded

◎ 他的性子特别执拗，老人说"八匹马也拉不回来"。

8 姿态	zītài	【名】	① 身体呈现的样子；样儿 posture, carriage

优美的姿态　姿态万千

② 态度；气度　attitude, pose

以强者的姿态出现　做出让步的姿态　姿态强硬

9 方圆	fāngyuán	【名】	指周围的长度

◎ 方圆几十里再也找不到第二家旅店了。

10 长卷	chángjuàn	【名】	长幅的字画 long scroll (of painting or calligraphy)

11 屡次	lǚcì	【副】	一次又一次

◎ 孩子屡次请求父母允许他和朋友去旅行。

◎ 在工作上他屡次出问题。

12 智谋	zhìmóu	【名】	智慧和计谋 wit, resourcefulness

靠智谋在谈判中取胜　巧妙地运用智谋

13 封	fēng	【动】	古代帝王把爵位（有时连土地）或称号赐给臣子 confer (a title, territory, etc.) upon

14 年间	niánjiān	【名】	指在某个时期、某个年代内

◎ 清朝康熙乾隆年间，社会相对安定，经济平稳发展，史称"康乾盛世"。

15 知县	zhīxiàn	【名】	明清两代称一县长官的正式名称 (in ancient time) county magistrate

16 方	fāng	【名】	地方（一般不单独用）

远方　方言　一方百姓

17 水土	shuǐtǔ	【名】	① 土地表面的水和土

◎ 植树种草，防止水土流失。

② 泛指自然环境和气候

◎ 一方水土养一方人。

◎ 刚到南方时，他水土不服，病了一段时间。

18 源头	yuántóu	【名】	水的发源地，比喻事物的起点 fountainhead, source

◎ 长江的源头在青藏高原。

◎ 民歌是文学的源头之一。

19 角色	juésè	【名】	① 戏剧或电影、电视中，演员扮演的剧中人物

◎ 多位名演员在这部电影中扮演角色。

② 比喻生活中某种类型的人物

精明强干的角色　老实的角色　厉害角色

◎ 每当儿子和爸爸辩论时，妈妈就当和事佬，成了两头劝的角色。

| 20 构建 | gòujiàn | 【动】 | 建立（多用于抽象事物） |

构建一个全新的经济模式　构建一个理论体系

| 21 基因 | jīyīn | 【名】 | gene |
| 22 普天之下 | pǔtiān zhīxià | | 指全国或全世界 |

立志为普天之下的人民造福

| 23 唯独 | wéidú | 【副】 | 单单，只有 |

◎ 我儿子没什么朋友，唯独跟邻居家的孩子要好。

◎ 怎么别人都可以参加，唯独我就不行呢？

24 十里洋场	shí lǐ yángchǎng		旧时上海的租界区域内因外国人较多，洋货充斥，称为十里洋场；后因以借指旧上海的市区。
25 都会	dūhuì	【名】	都市
26 变异	biànyì	【名】	同种生物世代之间或同代生物不同个体之间在形态特征、生理特征等方面所表现的差异 variation
27 步行	bùxíng	【动】	行走

步行街　爸爸每天步行上班

28 过渡	guòdù	【动】	事物由一个阶段或一种状态逐渐发展变化而转入另一个阶段或另一种状态 transit
29 游客	yóukè	【名】	游览的人
30 原本	yuánběn	【副】	原来；本来

◎ 鲁迅原本学医，后来弃医从文了。

◎ 原本父母不同意孩子开理发店，后来看到孩子干得很起劲，也就不再坚持了。

| 31 总归 | zǒngguī | 【副】 | 表示无论怎样一定如此；终究 anyway, anyhow, after all |
| 32 经意 | jīngyì | 【形】 | 在意；留意（多用于否定）careful, mindful |

◎ 昨天他逛旧书店时不经意发现了这本画册。

◎ 我在这条街上来回打听，不经意地一回头，发现了他们的广告。

| 33 标本 | biāoběn | 【名】 | ① 保持实物原样或经过加工整理，供学习、研究时参考的动物、植物、矿物 specimen; sample |

◎ 这种鸟已经灭绝了，只能在博物馆看到它的标本。

　　　　　　　② 指在同一类事物中可以作为代表的事物

◎ 龙门石窟可以作为我国石窟艺术的标本。

| 34 熙熙攘攘 | xīxīrǎngrǎng | | 形容人来人往，非常热闹 |

◎ 大街上熙熙攘攘，热闹非凡。

◎ 在熙熙攘攘的人流中，母亲紧紧拉住孩子的小手。

| 35 领带 | lǐngdài | 【名】 | 穿西服时，系在衬衫领子上悬在胸前的带子 necktie, tie |

系领带　打领带　把领带解下来

| 36 鱼贯而入 | yú guàn ér rù | | 比喻依照次序一个挨着一个进入 |

◎ 代表们排好队，鱼贯而入。

| 37 时空 | shíkōng | 【名】 | 时间和空间 |

| 38 鱼龙混杂 | yú lóng hùnzá | | 比喻好人坏人混在一起 |

◎ 这里地处三省交界，鱼龙混杂。

◎ 旧小说里的酒楼、戏园往往是鱼龙混杂的地方。

| 39 市井 | shìjǐng | 【名】 | （书面语）做买卖的地方；街市 |

市井文化　市井小人　远离市井喧闹

| 40 孕育 | yùnyù | 【动】 | 怀胎生育。比喻在已经存在的事物中酝酿着新事物 give birth to, be pregnant with, breed |

孕育着希望　孕育新生事物

| 41 灶 | zào | 【名】 | 生火做饭的设备 kitchen range, cooking/kitchen stove |

煤气灶　炉灶

| 42 柴火 | cháihuo | 【名】 | 做燃料用的树枝、秫秸、稻秆、杂草等 faggot, firewood |

| 43 物件 | wùjiàn | 【名】 | （方言口语）东西 |

◎ 有些日常生活用的小物件只能去市场买。

◎ 每样物件都放在合适的位置。

| 44 随处 | suíchù | 【副】 | 不限什么地方；到处 |

随处张贴小广告　新的居民小区随处可见

| 45 箍 | gū | 【动】 | 用竹篾和金属条捆紧；用带子勒住 bind round, hoop |

◎ 大木桶外箍了三道铁条。◎ 她跑步时用一条发带箍住头发。

| 46 捏 | niē | 【动】 | 用手指把软东西弄成一定的形状 knead with the fingers, mould |

捏泥人　捏了几个饺子

| 47 面人儿 | miànrénr | 【名】 | 用染色的糯米面捏成的人物像 dough figurine |

48 书信 shūxìn 【名】 （书面语）信

◎ 父亲把书信整理了一下。

◎ 他出国后，我们断断续续还有书信往来。

49 变戏法 biàn xìfǎ 表演魔术 perform conjuring tricks, conjure, juggle

50 西洋景 xīyángjǐng 【名】 民间文娱活动的一种装置，一些照片左右推动，观众从透镜中看放大的画面。画片多是西方画，所以叫西洋景 peep show

51 相命 xiàng mìng 观察人的相貌，预言命运好坏 practice physiognomy

52 鼻烟壶 bíyānhú 【名】 鼻烟是由鼻孔吸入的粉末状的烟，鼻烟壶是装鼻烟用的小瓶 snuff bottle

53 坚韧 jiānrèn 【形】 坚固有韧性 tough and tensile, firm and tenacious

◎ 这种纤维特别坚韧，不易磨损。

◎ 坚韧的性格使他们在恶劣的自然环境中顽强地生存下来。

54 浩浩荡荡 hàohàodàngdàng 原本形容水势汹涌，广阔无边，后来形容规模很大，气势雄壮 vast and mighty

浩浩荡荡的江水　运动员的队伍浩浩荡荡地通过主席台

55 巡游 xúnyóu 【动】 按照一定的路线行进察看 stroll about, ramble

◎ 哨兵在军营外巡游。

56 威风凛凛 wēifēng lǐnlǐn 很有威风而令人敬畏 have an awesome bearing, have a commanding presence

◎ 将军在副官和参谋们的簇拥下，威风凛凛地检阅了部队。

57 视察 shìchá 【动】 上级人员到下级机构检查工作 inspect, observe

◎ 总理视察灾区时发表了重要的讲话。

◎ 省长先后视察了省内的区县。

58 呼天抢地 hū tiān qiāng dì 对天呼叫，用头撞地。形容伤心痛哭的样子

◎ 听说儿子得了绝症，她呼天抢地，哭得死去活来。

59 保佑 bǎoyòu 【动】 神力保护和帮助 bless

◎ 老奶奶求菩萨保佑孙子平安。

60 主角 zhǔjué 【名】 ①指戏剧、影视等艺术表演中的主要角色或主要演员

女主角　男主角　演主角

②比喻主要人物

◎ 他当上记者后决定采访当年那场风波的几个主角。

| 61 灰烬 | huījìn | 【名】 | 燃烧后的灰和烧剩下的东西 ashes |

◎ 他的藏书在火灾中化为灰烬。

| 62 常人 | chángrén | 【名】 | 普通的人；一般的人 |

◎ 小王说话做事很特别，与常人不同。

◎ 他经历的痛苦是常人无法忍受的。

| 63 无家可归 | wú jiā kě guī | | 没有家可回 |

帮助因受灾而无家可归的人　收留无家可归的小狗

| 64 好在 | hǎozài | 【副】 | 表示具有某种有利条件或情况 |

◎ 我上班很远，好在交通方便。

◎ 母亲在自学电脑，好在儿女都是电脑高手，有问题随时可以问。

| 65 宝地 | bǎodì | 【名】 | 指地势优越或物资丰富的地方 |

◎ 四川是块宝地，人称"天府之国"。

| 66 大腕（儿） | dàwàn(r) | 【名】 | （多指文艺界的）指有名气、有实力的人 |

相声界的大腕　演艺界的大腕　春节晚会上大腕都来了

| 67 筹 | chóu | 【动】 | 想办法弄到（一般不单独用） |

筹建学校　筹集旅费　找亲友筹借装修款

◎ 银行不贷款，我们得自筹资金。

| 68 银两 | yínliǎng | 【名】 | 旧时用银子为主要货币，银子以两为单位，因此做货币用的银子称为银两 |

| 69 钢筋 | gāngjīn | 【名】 | 钢筋混凝土中所用的钢条 reinforcing bar |

| 70 仿古 | fǎnggǔ | 【动】 | 模仿古器物或古艺术品 modelled after an antique, in the style of the ancients |

仿古的字画　仿古的样式　仿古工艺品

| 71 极致 | jízhì | 【名】 | 不能再超过的程度 |

◎ 他在小说中把市民的心理刻画到了极致。

| 72 缝隙 | fèngxì | 【名】 | 裂开或自然露出的狭长的空处 chink, crack, crevice |

从大门的缝隙向内看　水从管道的缝隙流出来

词语练习

一 根据拼音写出下列词语，然后把它们填在合适的句子里：

> bǎoyòu yùnyù bùxíng gū gòujiàn chóu shìchá

1. 这些年他一直钻研教育学，希望（　　　）一个更合理的学科体系。

2. 春节很多人都去寺庙烧香，求神佛（　　　）新的一年里平安幸福。

3. 总经理突然来分公司（　　　），每个职员都非常紧张。

4. 家里的大木桶用了一年多了，最近发现有点儿漏水，他打了售后服务的电话，他们说要拉回工厂去（　　　）一下。

5. 路上堵车堵得死死的，很多坐公共汽车的人干脆下车（　　　）。

6. 在陕西这块古老而又神奇的黄土地上（　　　）出了信天游这种富有震撼力的民歌。

7. 为了（　　　）集资金给家乡建小学，她毫不犹豫地卖掉了祖传的字画。

> shìjǐng zītài fèngxì jīyīn niánjiān juésè wùjiàn

8. 小草在岩石的（　　　）里顽强地生长。

9. 在单位里老刘是个活跃的（　　　），组织娱乐活动少不了他。

10. 这位作家擅长刻画（　　　）人物，在她的笔下，摆地摊的、开饭馆的、开出租车的、收废品的，神态各异。

11. 小王的父母都是演员，她遗传了父母的表演（　　　），从小就能歌善舞。

12. 校门外的商店里净是些好玩的小（　　　）。

13. 我们队输了，对手以胜利者的（　　　）向看台上的球迷挥手欢呼。

14. 奶奶房间里的一对花瓶据说是清代道光（　　　）的东西。

二 请根据意思写出下列成语，并填空：

1. 滴下来的水时间长了可以把石头打穿（　　　）

2. 人来人往（　　　）

3. 伤心痛哭（　　　）

4. 规模很大，气势雄壮　（　　　）

5. 没有地方可以去　（　　　）

6. 全世界（　　　）

7. 很有威风而令人敬畏　（　　　）

8. 一个挨着一个地进入　（　　　）

9. 有好人也有坏人　（　　　）

a. 考生们在考场外排好队，按照考生编号的顺序＿＿＿＿＿＿＿＿＿。

b. 早市上人多拥挤，＿＿＿＿＿＿＿＿，要特别小心自己的钱包。

c. 他交不起房租，房东把他赶出来了，他＿＿＿＿＿＿＿＿了。

d. ＿＿＿＿＿＿＿＿的球迷没有谁不知道贝克汉姆！

e. ＿＿＿＿＿＿＿＿，我不相信你这么努力就学不好外语！

f. 节日的夜晚，大街上行人＿＿＿＿＿＿＿＿，灯火通明，一片繁华景象。

g. 刚发生了一起重大伤亡事故，遇难者的家属在事故现场＿＿＿＿＿＿＿，
　　悲痛欲绝。

h. 将军身穿军装，骑着白马，＿＿＿＿＿＿＿＿，相貌堂堂。

i. 游行队伍＿＿＿＿＿＿＿＿地穿过天安门广场。

三　选词填空：

筹　　相　　变　　箍　　捏　　封

1. 孩子用泥＿＿＿＿的小狗、小鸭子非常可爱。

2. 为了支付高额学费，他东奔西走，＿＿＿＿到了一半数目。

3. 上海的城隍是明朝皇帝朱元璋＿＿＿＿的。

4. 你不是说自己能预知吉凶祸福吗？你怎么不给自己＿＿＿＿一＿＿＿＿面
　　呢？

5. 父母＿＿＿＿戏法似的拿出一个漂亮的娃娃送给女儿。

6. 他怕大箱子不牢固，又在外面＿＿＿＿了两条行李带。

四 画线连接：

意思	词语	填空
A. 在意；留意	1. 执拗	a. 电影中的女孩借助机器穿越____，到了三百多年前的清康熙年间。
B. 比喻主要人物	2. 巡游	b. 少年时家庭的不幸不但没有把他打垮，反而养成了他_____的性格。
C. 走	3. 经意	c. 刚到北方的时候，我完全不能适应这方_____，皮肤干燥，嗓子疼。
D. 固执任性，不听从别人的意见	4. 主角	d. 为了运动，下班路上他有意提前两站下车，_____回家。
E. 坚固有韧性	5. 水土	e. 他不_____透露出公司内部的消息。
F. 按照一定的路线行进察看	6. 坚韧	f. 当年那起事件的_____如今都已年过半百，见了记者，都表示不愿意再回忆当年的情况。
G. 时间和空间	7. 步行	g. 大家都劝他回家去，他却_____地留下来。
H. 自然环境和气候	8. 时空	h. 警察骑着摩托车在街上_____。

1 有……之称

● 明朝开国后，朱元璋屡次请他出来当官，而这个有"智谋之士"之称的上海人，直到"实在推不掉才勉强入朝"。

有……的称呼，书面语。例如：

（1）昆明的年平均气温为14.7℃，最冷月和最热月的气温仅相差12℃，所以昆明有"春城"之称。

（2）银杏是一种非常古老的树种，有"活化石"之称。

（3）联欢会上，有"艺术家"之称的小王又唱歌又跳舞，最引人注意。

2 出于

● 永乐年间，上海县正式建城隍庙的时候，不知道知县出于什么考虑，用位于城中心的霍光行祠来改建。

　　从某个立场观点出发，多用于表示原因。书面语。例如：

（1）出于安全方面的考虑，商场在每个楼层都增加了安全通道。

（2）出于对学生的关心，政府下令关闭了学校周围的网吧。

（3）他问你的病是出于关心，并非干涉你的隐私，别误会他。

3 对于……而言

● 对于城隍庙和豫园的今天而言，自从有了秦裕伯和霍光，这方水土总算有了现实中的源头。

　　相当于"对于……来说"，常常做状语，表示从某人或某事物的角度来看待，可以得出某种结论。书面语。例如：

（1）对于子女而言，父母的一言一行都是他们模仿的对象。

（2）如今像年龄、婚姻状况、收入等对于很多中国人而言，已经是十分敏感的问题。

（3）对于北京这样的城市而言，保护文化遗产是至关重要的。

4 总算

● 对于城隍庙和豫园的今天而言，自从有了秦裕伯和霍光，这方水土总算有了现实中的源头。

　　副词。

　　（一）表示经过相当长的时间之后，某种希望的结果终于出现了。例如：

（1）他考了五六次，这次总算通过了。

（2）小王上网查，跟朋友谈，去图书馆找资料，足足用了两个月的时间，总算把新家的装修方案确定下来了。

（3）门口的马路挖开又填上，填上又挖开，折腾了一年多，总算完工了。

　　（二）表示大体上说得过去，勉强可以。例如：

（4）大家总算朋友一场，现在他有困难，还是帮他一把吧。

（5）弟弟虽然结结巴巴的，但总算敢开口说外语了，得多多鼓励。

（6）遭遇了一场车祸，他虽然擦破了皮，总算没伤筋动骨。

5 恰巧

● 这么一块地方，恰巧集中了文武商的多重性格。

　　副词，指时间、条件等刚好；凑巧。例如：

（1）老人在火车上突然发病，恰巧车厢内有一位医生，救了他。

（2）我正愁这个春节得一个人过了，恰巧表妹打电话说要来陪我过年。

（3）哥哥大学毕业时，恰巧这家公司要人，他就去了，一干就是十年。

6 最终

● 普天之下的城隍庙不知道有多少，有意思的是，唯独上海的这座最终被十里洋场团团包围。

　　副词，终归；到底。例如：

（1）孩子最终要独立生活，父母应该早点培养他们的生活能力。

（2）他在外面流浪了多年，最终还是回到了故乡。

（3）我坚信随着医学的发展，现在的不治之症最终都将被人类战胜。

　　"最终"还有形容词的用法，意思是最后的；末了的。例如：

（4）这部电视剧的最终结果出乎观众的预料。

（5）他这次旅行最终的目的地是父亲当年工作过的小城。

7 总归

● 你可以将这看作是一种被异化了的市俗文化，总归有人掏钱，有人收钱，人们在这里各取所需。

　　副词，表示无论怎样一定如此。例如：

（1）目前我们公司是遇到了财务上的困难，但总归还是能解决的，请大家安心工作。

（2）孩子在成长的过程中都会遭遇成长的烦恼，但他们总归会成熟起来。

（3）爱情片都是一个模式，不管经历了多少困难，男女主人公总归要团聚。

语言点练习

一　完成句子或对话：

1.A：为什么大家都叫小王"瞌睡虫"？

　　B：他最爱睡觉了，＿＿＿＿＿＿＿＿＿＿＿＿＿＿＿＿。（有……之称）

2. A：你能介绍一下秦裕伯吗？

　　B：他是上海人，_____，死后被封为上海的城隍。（有……之称）

3. A：原计划元宵节在公园里举办的灯节为什么取消了？

　　B：检查中发现公园里安全措施不够，_____。（出于）

4. 医生说孩子是心脏病，_____，父母决定让他休学一年。（出于）

5. A：找工作的时候，你最看重什么条件？

　　B：对于我而言，_____。

6. 对于中国这样一个人口大国而言，_____。

7. 他在图书馆查了好几天的资料，_____。（总算）

8. A：听说他俩春节要结婚。

　　B：他俩分分合合的也有七八年了，_____。（总算）

9. A：小王，你今天怎么有空来看我们？

　　B：_____。（恰巧）

10. 明天考试，我还有很多问题不明白，_____，他帮助了我。（恰巧）

11. 工作压力太大了，小王实在承受不了，_____。（最终）

12. A：申请这份工作的人不少，竞争十分激烈。

　　B：来了一百多人，经过笔试、面试，_____。（最终）

13. A：广告上说百货公司又打折了。

　　B：不管怎么打折，_____，我不感兴趣。（总归）

14. A：看了好几处房子，不是交通不便，就是户型不好，要不就是价格太贵，总是不满意。

　　B：世上哪有十全十美的，无论多好的房子，_____。（总归）

二 请用本课学习的语言点回答问题：

1. 旅游书上把苏州称为"东方威尼斯"，你听说过吗？（有……之称）

2. 你在公司干得好好的，为什么要辞职呢？（出于）

3. 用什么样的方法教孩子学外语最有效？（对于……而言）

4. 外语成绩出来了吗？能不能拿到六级证书？（总算）

5. 这位歌星演唱会的票很难搞，你居然搞到了两张！（恰巧）

6. 成语"叶落归根"是什么意思？（最终）

7. 我儿子不爱学习，怎么说都不行。（总归）

综合练习

一 请熟读下面的句子，体会加点词的用法，并模仿造句：

1. 那里是城市最初的回忆，哪怕在滴水穿石的时间面前，它也总是保持最执拗的姿态。上海老城厢内的城隍庙和豫园，便是这样的一个地方。

2. 打开中国古代人物的长卷，秦裕伯实在算不上是一个很有名的人物，但他却成了上海的城隍，一座城市的保护神。

3. 对于城隍庙和豫园的今天而言，自从有了秦裕伯和霍光，这方水土总算有了现实中的源头。

4. 事实上，你不用将这里想象成是一个庙宇，或者一条每踩下去一脚都冒出来历史的老街。

5. 你可以将这看作是一种被异化了的市俗文化，总归有人掏钱，有人收钱，人们在这里各取所需。城隍庙就是这么自然，不经意地就成了这个城市市俗的标本，并因此乐在其中。

6. 九曲桥上行人熙熙攘攘了几百年，拖着长辫的，穿着长衫的，打着领带的，他们鱼贯而入，并终将在另一个时空里消失。

7. 木头的房子也好，钢筋的房子也好，都不是最重要，重要的是记忆的根须没有灭绝。

二　请把下面各组句子合为一句：

例如：秦裕伯有"智谋之士"之称。

　　明朝开国后，朱元璋屡次请秦裕伯出来当官。

　　→ 明朝开国后，朱元璋屡次请有"智谋之士"之称的秦裕伯出来当官。

1. 你不用将城隍庙想象成是一个庙宇。

　你不用将城隍庙想象成一条每踩下去一脚都冒出来历史的老街。

　城隍庙是一个将嘉兴的粽子和麦当劳的汉堡挂在一块卖的地方。

　城隍庙是一种市俗的存在。

2. 人们从年糕团、蟹壳黄、酒酿圆子、臭豆腐干这些吃食里得到的不仅仅是对美味的回忆。

　年糕团、蟹壳黄、酒酿圆子、臭豆腐干是如今依旧在城隍庙里随处可寻的吃食。

3. 上海城隍庙的文化是一种由于生存的需要而构建起来的市俗文化。

　市俗文化的坚韧往往超乎人的想象。

4. 1924 年 8 月 15 日，旧历中元节的时候，秦裕伯的神像被抬着，浩浩荡荡巡游他的城市和子民去了。

　1924 年 8 月 15 日，旧历中元节的时候，城隍庙内大火冲天。

　1924 年 8 月 15 日，旧历中元节的时候，秦裕伯像是一个黑色幽默中的主角，带着微笑回来，面对的是一片灰烬。

三　请根据课文回答下面的问题，并把回答的内容写成一小段话

1. 根据历史记载，"秦裕伯"是个什么样的人？潘允瑞呢？

2. 说说城隍庙的位置。

3. 城隍庙是一个什么样的地方？它代表了一种什么样的文化？

4. 1924 年 8 月 15 日在城隍庙发生了什么事故？

5. 如今的城隍庙对上海人来说意味着什么？

四　请介绍一个有特殊意义的地方，说说这个地方的历史和现状，重点介绍它代表一种什么样的文化，请尽量使用下面所给的词语。

保留、最初、记载、对……而言、源头、基因、时空、曾经、实在、早已、最终、整整

古弄的迷藏

西塘是江南六大古镇中最大、保存最完整的。东距上海90公里，西距杭州110公里，北距苏州85公里。上海、杭州的游客可坐火车先到嘉善。驾车可走320国道，至嘉善十字路上见有西塘指示牌处向北行驶15分钟即到；也可以走沪宁杭甬高速公路，在嘉善县的大云出口站下，经善江公路直达西塘。

西街的石皮弄已有三四百年的历史了，它的个性是长而窄，书上说全长68米，最窄的地方是80公分，仅容一人通过；铺设的石板之薄，据说平均厚度只有3公分。

在最窄的地方，两边的墙壁恰好轻轻地擦过垂着的两臂。往里走，伴着青石板上溅起的浅浅的水花，一阵绕身的凉风，尘世的喧嚣被挡在了高高厚厚的墙壁之外。弄堂里似乎还在散发着阵阵撩拨人的明清时的呼吸。

弄壁上大多嵌有小巧雅致的壁龛，过去一到夜间，每个壁龛里点上一枝小蜡烛或一个小油盏头，弄堂里

驾 jià（动）驾驶
国道 guódào（名）由国家统一规划修筑和管理的干线公路，一般跨省
行驶 xíngshǐ（动）（车、船）行走

公分 gōngfēn（量）厘米
容 róng（动）允许；让
铺设 pūshè（动）铺
厚度 hòudù（名）扁的物体上下两面之间的距离 thickness
垂 chuí（动）事物的一头向下 hang down; droop
溅 jiàn（动）液体受到冲击向四周射出 splash; spatter
尘世 chénshì（名）指现实的世界
喧嚣 xuānxiāo（形）声音杂乱
弄堂 lòngtáng（名）胡同
散发 sànfā（动）发出
撩拨 liáobō（动）逗引；触动 tease
嵌 qiàn（动）把较小的东西卡进较大的东西上面的凹处
小巧 xiǎoqiǎo（形）小而灵巧
雅致 yǎzhì（形）美观而不落俗套 refined; tasteful
壁龛 bìkān（名）嵌在墙壁上的小盒子

灯火跳跃。随行的当地画家告诉我，他常常和朋友们借着这样的火光穿过一条条幽深的弄堂，趁兴夜游，类似古人所说的"秉烛夜游"。那样的夜晚，人有些恍惚，仿佛到了世界的另一面，时间的另一头。

西塘的弄堂一般都和民宅连成一气，表面看似简单，却是弄中有弄，弄堂之外还有"陪弄"，弄连弄，弄套弄，宛如迷宫。

这陪弄真是不显山不露水，寻访的经历好像探幽。陪弄是深宅的组成部分，它的上方一律有屋顶覆盖着。陪弄在过去那个年代，多是供下人进出的；也有例外，如果来了什么人，主人不愿声张，也从这里进出，隐秘，安全。

看到一条似乎不见底的，我就一头钻进去。有好几次，以为上了当，此路不通了，没想到才走过几步，头顶兀地架起一座空中楼阁，斑驳的弄壁蔓藤盘缠，含露的石榴花夹在翠叶中高高地探出檐墙，和人碰巧打了个照面。阁楼的门洞开着，主人出了门，门却不上锁。

再往里走，这陪弄是越走越黑了。四周一点声音也没有，幽暗中隐约出现一扇门，挡在面前。门很厚重，灰色的木纹筋筋络络，我伸过手

跳跃 tiàoyuè（动）跳

类似 lèisì（动）大致相像

秉烛夜游 bǐng zhú yè yóu 拿着燃烧的蜡烛在夜间游乐

恍惚 huǎnghū（形）（记得、听得、看得）不真切；不清楚

民宅 mínzhái（名）民用住房

宛如 wǎnrú（动）正像；好像

迷宫 mígōng（名）一种建筑物，门户道路复杂难辨，人进去不容易出来

寻访 xúnfǎng（动）寻找调查

探幽 tàn yōu 寻找不易发现的风景优美的地方

一律 yílù（副）没有例外

下人 xiàrén（名）在家庭里服从主人命令，做杂事，地位低的人

声张 shēngzhāng（动）把消息、事情等传出去

隐秘 yǐnmì（形）被别的东西遮住不外露，不容易被发现

一头 yìtóu（副）表示动作急；直接前进，不绕道，不在中途耽误 directly; headlong

兀 wù（副）高高地突起 rising to a height; towering

空中楼阁 kōngzhōng lóugé 建筑在半空中的楼阁。常常用来比喻不现实的理论，不合实际的计划或并不存在的事物 castles in the air

斑驳 bānbó（形）一种颜色中杂有别的颜色

藤蔓 téngwàn（名）葡萄、瓜类等植物细长柔软的茎。tendrilled vine

碰巧 pèngqiǎo（副）凑巧；恰巧

打照面 dǎ zhàomiàn 面对面地遇见

阁楼 gélóu（名）在较高的房间内上部架起的一层矮小的楼

洞开 dòngkāi（动）（门窗等）大开

幽暗 yōu'àn（形）光线不足

隐约 yǐnyuē（形）看起来或听起来不太清楚

去，突然发现门上有双粗大的门环，挂着一把锈得似乎要掉下来的锁。轻轻一推，门竟然开了，展现一处清雅的小院；几个老头老太正坐在屋檐下聊天，脸上是一副笑眯眯的表情，看见我伸头进来，有人向我挥挥手说："没有什么好看的，不是景点，房子旧了，和我们一样，都快倒了。"我退出来。何必打搅老人们的梦呢！这些老人的孩子们大都搬到了新盖的小镇楼房里，而他们留了下来，守着老房子，守着过去的时光。

穿梭在这样的弄堂，自古至今的两个世界，三四分钟就给沟通了。站在弄堂口的西街上，市声传了过来。这古朴的街，店前门口的墙边都搁着透出木材本色的门板，褪色的木质门窗保持着古旧的味道。两边都是两层的楼，我看见两个老人打开楼上的窗户，临窗而坐，隔着街攀谈，空中飘荡着吴侬软语。小街上的茶馆有的就在这样的楼上，茶馆里常常很早就有了茶客，多是还住在这镇上的老人。朋友告诉我，他就曾在这里遇到一个了不得的老人，67岁了还能挑四百斤担子，一个人一年养300只鸡。他每年的3月份开始光膀子，一直要光到10月份。人们都叫他"赤膊"，古铜色的皮肤闪着光。"赤膊"家每年

门环 ménhuán（名）装在门上的金属圈儿 knocker
锈 xiù（动）生锈
展现 zhǎnxiàn（动）显现出；清楚地表现出来
清雅 qīngyǎ（形）新鲜高雅，不俗气 elegant; refined
屋檐 wūyán（名）房顶伸出墙外的部分 eaves
笑眯眯 xiàomīmī 微笑时眼睛微微闭上的样子
景点 jǐngdiǎn（名）供人游览的风景点
打搅 dǎjiǎo（动）扰乱

穿梭 chuānsuō（动）像织布的梭子来回活动，形容来往次数很多 shuttle back and forth
自古 zìgǔ（副）自古以来

古朴 gǔpǔ（形）朴素而有古代的风格
本色 běnsè（名）本来的样子
门板 ménbǎn（名）店铺临街的一面好像门的木板，早晨拿下来，晚上装上
褪色 tuì sè 颜色渐渐变淡

攀谈 pāntán（动）闲谈
飘荡 piāodàng（动）随着风浮动
吴侬软语 wúnóng ruǎnyǔ 上海、江苏东南部和浙江大部分地区人使用的方言

担子 dànzi（名）扁担和挂在两头的东西 a carrying (or shoulder) pole and the loads on it; load; burden
膀子 bǎngzi（名）胳膊的上部靠肩的部分，也指整个胳膊 upper arm; arm

用两千斤粮食做酒，他常常4点钟到茶馆里，以酒代茶，喝够了再下地干活。朋友对他的皮肤印象深刻，"像绸缎一样，只有劳动者才有如此美丽的皮肤"。

在茶馆外听当地人说，古镇以前还有"吃讲茶"的习俗。镇上的居民如果有什么家庭纠纷、邻里矛盾等，诉诸法律过于麻烦，人们往往选择到茶馆里解决。争执的双方各执己见，然后由众茶客评论，再由镇上德高望重的老人调解。在这样的情况下，通常理亏的一方要承担出面调解的茶客的茶钱。茶馆原来竟还做过古镇的"民间仲裁所"，有意思。

（选自《南方周末》，作者：沈颖。有改动）

习俗 xísú（名）习惯和风俗
纠纷 jiūfēn（名）双方争论，互不相让的事情
邻里 línlǐ（名）同一乡里的人
德高望重 dé gāo wàng zhòng 道德高尚，享有崇高的声望
调解 tiáojiě（动）劝说双方消除矛盾
理亏 lǐkuī（形）理由不充分；行为不合理
出面 chū miàn 以个人或集体的名义（做某件事）
仲裁 zhòngcái（动）争执双方同意的第三者对争执事项做出决定 arbitrate

小贴士

西塘是一座已有千年历史文化的古镇。早在春秋战国时期就是吴越两国的相交之地，故有"吴根越角"之称。街衢依河而建，民居临水而筑，还有宁静的老屋，悠长的古街，特别是路旁边民居搭出长长的屋檐，而形成的一条遮雨的走廊，都让我们对这个别称"廊镇"的小镇，有一种亲切、温馨的感情。

石皮巷是122条古弄中最好的，青石板地，最宽1米，最窄0.8米，高6～10米，只能一个人走，人多则要排队。弄里的墙上还有门，尽头是很有名的静宜轩。

西园走进去是一个很小的花园，里面所有的东西都是很小的，小假山，1米长惟妙惟肖的石桥，一点点的水，还有小鱼。再进去一下子开朗起来，是令人欣喜的一个天井，长满青草的石板地，深褐色的木质的门窗及斑驳青白的墙，很空旷。正厅的左侧有一条黑漆漆的小道，一直走就通到外面的街上了。

《中国自助游》

副课文练习

一 请根据副课文回答下列问题：

1. 石皮弄有哪些特点？

2. 弄壁上的壁龛有什么作用？

3. 陪弄有什么作用？

4. 老人们是不是不欢迎"我"的到来？他们的话里传达了什么样的情绪？

5. "赤膊"是谁？他是怎样的一个人？

6. "吃讲茶"是一种什么样的习俗？

7. 面这些形容词中，哪些可以用来形容西塘的弄堂？

狭窄	明亮	古老	安静	恐怖	神秘
安全	纯朴	祥和	陈旧	繁华	

二 分组讨论：

1. 如何理解下面几句话？

① 那样的夜晚，人有些恍惚，仿佛到了世界的另一面，时间的另一头。

② 何必打搅老人们的梦呢！

③ 穿梭在这样的弄堂，自古至今的两个世界，三四分钟就给沟通了。

2. 描述一下大都市的生活和小城镇的生活。你更喜欢哪种生活呢？

"住"的梦

在中国你去过哪些地方？你最喜欢哪个城市？这篇课文的作者一年四季中希望住在不同的城市，不同的城市都有让他留恋的特点。请阅读课文，并试着填写下面的表格。

季节	最理想的地方	理由	景色、物产
春季			
夏季			
秋季			
冬季			

在北平与青岛住家的时候，我永远没想到过：将来我要住到什么地方去。在乐园里的人也许不会梦想另辟乐园吧。在抗战中，在重庆与它的郊区住了六年。这六年的酷暑重雾，和房屋的不像房屋，使我会做梦了。我梦想着抗战胜利后我应去住的地方。

不管我的梦想能否成为事实，说出来总是好玩的：春天，我将要住在杭州。二十年前，我到过杭州，只住了两天。那是旧历的二月初，在西湖上我看见了嫩柳与菜花，碧浪与翠竹，山上的光景如何？没有看到。三四月的莺花山水如何，也无从晓得。但是，由我看到的那点春光，已经可以断定杭州的春天必定会教人整天生活在诗与图画中的。所以，春天我的家应当是在杭州。

夏天，我想青城山应当算作最理想的地方。在那里，我虽然只住过十天，可是它的幽静已捨住了我的心灵。在我所看见过的山水中，只有这里没有使我失望。它并没有什么奇峰或巨瀑，也没有多少古寺与胜迹，可是，它的那一片绿色已足使我感到这是仙人所应住的地方了。到处都是绿，而且都是像嫩柳那么淡，竹叶那么亮，蕉叶那么润，目之所及，那片淡而光润的绿色都在轻轻的颤动，仿佛要流入空中与心中去似的。这个绿色会像音乐似的，涤清了心中的万虑，山中有水，有茶，还有酒。早晚，即使在暑天，也须穿起毛衣。我想，在这里住一夏天，必能写出一部十万到二十万字的小说。

假若青城去不成，求其次者才提到青岛。我在青岛住过三年，很喜爱它。不过，春夏之交，它有雾，虽然不很热，可是相当的湿闷。再说，一到夏天，游人来的很多，失去了海滨上的清静。美而不静便至少失去一半的美。最使我看不惯的是那些喝醉的外国水兵与差不多是裸体的，而没有曲线美的妓女。秋天，游人都走开，这地方反倒更可爱些。

不过，秋天一定要住北平。天堂是什么样子，我不晓得，但是从我的生活经验去判断，北平之秋便是天堂。论天气，不冷不热。论吃食，苹果，梨，柿，枣，葡萄，都每样有若干种。至于北平特产的小白梨与大白海棠，恐怕就是乐园中的禁果吧，连亚当与夏娃见了，也必滴下口水来！果子而外，羊肉正肥，高粱红的螃蟹刚好下市，而良乡的栗子也香闻十里。论花草，菊花种类之多，花式之奇，可以甲天下。西山有红叶可见，北海可以划船——虽然荷花已残，荷叶可还有一片清香。衣食住行，在北平的秋天，是没有一项不使人满意的。即使没有余钱买菊吃蟹，一两毛钱还可以爆二两羊肉，弄一小壶佛手露啊！

冬天，我还没有打好主意，香港很暖和，适于我这贫血怕冷的人去住，但是"洋味"太重，我不高兴去。广州，我没有到过，无从判断。成都或者是相当的合适，虽然并不怎样和暖，可是为了水仙，素心腊梅，各色的茶花，与红梅绿梅，仿佛就受一点寒冷，也颇值得去了。昆明的花也多，而且天气比成都好，可是旧书铺与精美而便宜的小吃食远不及成都的那么多，专看花而没有书读似乎也差点事。好吧，就暂时这么规定：冬天不住成都便住昆明吧。

在抗战中，我没能发了国难财。我想，抗战结束以后，我必能阔起来，唯一的原因是我是在这里说梦。既然阔起来，我就能住在杭州，青城山，北平，成都，都盖起一所中式的小三合房，自己住三间，其余的给友人们住。房后都有起码是二亩大的一个花园，种满了花草；住客有随便折花的，便毫不客气的赶出去。青岛与昆明也各建小房一所，作为候补住宅。各处的小宅，不管是什么材料盖成的，**一律**叫做"不会草堂"——在抗战中，开会开够了，所以永远"不会"。

那时候，飞机一定很方便，我想四季搬家也许**不至于**受多大苦处的。假若那时候飞机减价，一二百元就能买一架的话，我就自备一架，择黄道吉日慢慢的飞行。

（作者：老舍。有改动。）

◉ 注释

　　老舍（Lǎo Shě，1899—1966）现代小说家、戏剧家。原名舒庆春，字舍予，北京人。1918年毕业于北京师范学校。1924年赴英国伦敦东方大学东方学院任华语讲师，1930年回国后在齐鲁大学和山东大学任教授。作品有长篇小说《老张的哲学》《二马》《骆驼祥子》《四世同堂》等，中篇小说《月牙儿》《我这一辈子》等，话剧《茶馆》《龙须沟》等。语言生动、幽默，被誉为"人民艺术家"。

词语表

1 梦想	mèngxiǎng	【动】	渴望 cherish an earnest desire; dream of

梦想成为一名诗人　天天梦想去探险

		【名】	渴望成为现实的事情 wishful thinking; dream; illusion; fanciful vision; vain hope

◎ 拥有一辆汽车是弟弟的梦想。

2 辟	pì	【动】	开发（一般不单独使用）

报上新辟了专栏　那里被辟为旅游区

3 抗战	kàngzhàn	【名】	抵抗外国侵略的战争，在中国特指第二次世界大战期间的抗日战争

4 旧历	jiùlì	【名】	指农历，中国传统的历法

5 翠	cuì	【名】	青绿色 emerald green; green

6 光景	guāngjǐng	【名】	风光景物

◎ 这里海天一色的光景令人流连忘返。

7 莺	yīng	【名】	鸟类的一种 warbler; oriole

8 无从	wúcóng	【副】	没有门径或找不到头绪 have no way (of doing sth.)

9 春光	chūnguāng	【名】	春天的景色

春光明媚　一派大好春光

10 断定	duàndìng	【动】	下结论 decide; conclude

◎ 警察根据现场的情况断定罪犯是两个人。
◎ 这本书的作者和写作年代，目前还难以断定。

11 幽静	yōujìng	【形】	幽雅寂静 quiet and secluded; peaceful

环境十分幽静　幽静的树林

12 拴	shuān	【动】	①用绳子等绕在物体上，再打上结 tie; fasten

拴根绳子挂毛巾　在圣诞树上拴了个彩球

			②比喻缠住而不能自由行动 tie down; bind up; be hindered in one's free action

◎ 这个项目把大伙拴在一起。
◎ 假期里小黄两口子被孩子拴住了，哪儿都去不了。

13 寺	sì	【名】	佛教的庙宇 temple

碧云寺　灵隐寺

14	胜迹	shèngjì	【名】	著名的古迹
15	仙人	xiānrén	【名】	神话中指长生不老、神通广大的人
16	润	rùn	【形】	细腻光滑；滋润 moist; smooth; sleek

光润　润泽（rùnzé, moist; smooth; sleek）

17	目之所及	mù zhī suǒ jí		眼睛所能看到的
18	涤	dí	【动】	洗（一般不单独用）
19	暑天	shǔtiān	【名】	夏季炎热的日子
20	游人	yóurén	【名】	游览的人

游人须知　游人止步

| 21 | 清静 | qīngjìng | 【形】 | 安静；不嘈杂 |

◎ 冬天这儿游人很少，十分清静。

◎ 小淘气去奶奶家了，父母难得清静一天。

22	水兵	shuǐbīng	【名】	海军舰艇上士兵的总称
23	裸体	luǒtǐ	【名】	光着身子
24	曲线	qūxiàn	【名】	弯曲的波状线
25	妓女	jìnǚ	【名】	以出卖肉体为业的女人 prostitute
26	反倒	fǎndào	【副】	表示跟上文意思相反，出乎意料或与常理相反
27	吃食	chīshi	【名】	（口语）吃的东西
28	柿（子）	shì(zi)	【名】	persimmon
29	枣	zǎo	【名】	Chinese date; jujube
30	若干	ruògān	【数】	表示不确定的量
31	特产	tèchǎn	【名】	指某地特有的或特别著名的产品
32	海棠	hǎitáng	【名】	Chinese flowering crabapple
33	口水	kǒushuǐ	【名】	saliva

◎ 说起豆汁，不少上了年纪的老北京还流口水呢。

34	高粱	gāoliang	【名】	是中国北方的一种粮食作物 Chinese sorghum
35	螃蟹	pángxiè	【名】	一种生活在水中的节肢动物 crab
36	刚好	gānghǎo	【副】	恰巧，正巧
37	栗子	lìzi	【名】	栗子树的果实 chestnut
38	菊花	júhuā	【名】	chrysanthemum
39	甲天下	jiǎ tiānxià		居第一位

◎ 人们常说"桂林山水甲天下"。

40	红叶	hóngyè	【名】	一些树木的叶子秋天变成红色，叫红叶 red autumnal leaves
41	荷花	héhuā	【名】	lotus
42	残	cán	【形】	不完整；缺少一部分

◎ 这只花瓶的底部有点儿残。

| 43 | 荷叶 | héyè | 【名】 | 莲的叶子 |
| 44 | 清香 | qīngxiāng | 【名】 | 清淡的香味 |

◎ 湖面上飘来阵阵荷花的清香。◎ 这种绿茶清香扑鼻。

| 45 | 爆 | bào | 【动】 | 一种烹调方法，用滚油稍微一炸或用滚水稍微一煮 quick-fry; quick-boil |

葱爆羊肉　爆肚儿

46	贫血	pínxuè	【动】	人体的血液中红细胞的数量或血红蛋白的含量低于正常的数值 anaemia
47	和暖	hénuǎn	【形】	暖和；温暖
48	水仙	shuǐxiān	【名】	narcissus
49	腊梅	làméi	【名】	winter sweet
50	茶花	cháhuā	【名】	camellia
51	精美	jīngměi	【形】	精致美好

精美的礼物　精美的瓷器　精美的首饰

| 52 | 国难 | guónàn | 【名】 | 国家的危难，特指由外国侵略造成的国家灾难 |
| 53 | 阔 | kuò | 【形】 | 富裕；有钱 |

一下子阔起来了　阔太太　阔小姐

| 54 | 唯一 | wéiyī | 【形】 | 独一无二；单一 |

◎ 父母去世后，哥哥成了她唯一的亲人。

◎ 找警察帮助是唯一可行的办法。

| 55 | 友人 | yǒurén | 【名】 | （书面语）朋友 |
| 56 | 候补 | hòubǔ | 【名】 | 等候递补缺额或预备取得某种资格 be a candidate (for a vacancy); be an alternate |

◎ 导演把她列为候补。

◎ 代表中七名是正式的，一名是候补的。

| 57 | 住宅 | zhùzhái | 【名】 | 住房 |

高档住宅　普通住宅　住宅面积

◎ 这片住宅区靠近地铁站，交通方便。

58 一律	yílǜ	【副】	表示全部，没有例外
59 四季	sìjì	【名】	春、夏、秋、冬四个季节
60 备	bèi	【动】	准备

◎ 他是个大近视眼，每次出差，总带上两三副眼镜备用。

◎ 出门在外，多带些钱备着。

61 黄道吉日 huángdào jírì			迷信的人认为宜于办事的好日子 a propitious (or auspicious) date; a lucky day

◎ 今天真是个黄道吉日，办了几件事都很顺利。

◎ 建房子他们一定要挑选黄道吉日动工。

词语练习

一　根据拼音写出下列词语，然后把它们填在合适的句子里：

> duàndìng　qīngjìng　hòubǔ　wéiyī　shuān　hénuǎn

1. 这个假期我被一件重要的工作_____住了，不能去旅行。

2. 午后_____的阳光照耀下，我坐在树荫里懒洋洋地听着音乐。

3. 看他的语调和表情，我敢_____他已经掌握了充分的证据。

4. 大学四年他一直刻苦读书，_____的娱乐是周末跟朋友下下棋。

5. 我们选了 5 名同学参加全市的演讲比赛，为了保险起见，还选了 3 名同学作为_____。

6. 古寺依山而建，周围林木环绕，倒是个难得的_____之地。

> zhùzhái　hóngyè　tèchǎn　shuǐxiān　guāngjǐng　jiùlì

7. 这几张照片让我想起第一次去海边的_____。

8. _____五月初五是端午节，民间有吃粽子、赛龙舟的习俗。

9. 这一片_____是五十年代修建的，房屋的质量比较差，也没有暖气设备。

10. 梨是烟台的_____，个儿大，酸甜爽口。

11. 房间里的那两盆_____是奶奶的宝贝。

12. 秋天在北京赏_____，除了香山以外，八大处也是个不错的选择。

二 根据意思写出下列生词，并填空：

1. 炎热的日子　　　　　　　（　　　　）
2. 朋友　　　　　　　　　　（　　　　）
3. 清淡的香味　　　　　　　（　　　　）
4. 有钱　　　　　　　　　　（　　　　）
5. 著名的古迹　　　　　　　（　　　　）
6. 宜于办事的好日子　　　　（　　　　）

a. "他乡遇故知"的意思是出门在外，偶然遇见了过去的_____。

b. 老刘喜欢替_____人宣传，比如谁买大房子了，谁买豪华汽车了。

c. 小时候母亲常常在_____给我们熬绿豆汤。

d. 古人婚嫁都要看黄历，选一个_____。

e. 茉莉的花朵小小的，有一股_____。

f. 前年"五一"我和家人去了西安，游览了兵马俑等几处_____。

三 本课学习了几种花卉的名称，请填写下表：

名称	颜色	开花季节	文化含义	与之相关的诗词、成语等
海棠	淡红色			
菊花		秋季		
荷花			纯洁	
水仙		冬季		
腊梅			坚强	
茶花		秋末		

1 无从

● 三四月的莺花山水如何，也无从晓得。

副词，没有门径或找不到头绪，相当于"不知从哪儿""没法儿"，后面一般加双音节动词或短语。例如：

（1）古书中的这个地名究竟指哪个地方，现在已经无从查考。

（2）如果不先对这些材料进行分类整理，这篇论文就无从下笔。

（3）你离开故乡后发生了这么多事情，我提笔给你写信，一时竟然无从写起。

2 再说

● 再说，一到夏天，游人来的很多，失去了海滨上的清静。

连词，连接两个分句，把意思推进一层，相当于"而且、并且、况且"。例如：

（1）时间不早了，再说你明天一早还要去机场，早点回去休息吧。

（2）我们的钱不多，再说那些人造景点也没多大意思，就别去了吧。

（3）你选的话题很有趣，再说你的发音又好，明天演讲肯定能得奖。

需要注意的是，"再说"还有动词的用法，意思是先放一段时间，以后再办理或考虑，一般不加宾语。例如：

（4）我手头工作很多，旅游的事，等忙完这一阵子再说吧。

（5）你先别急着买，等我上网看看网友的评价再说。

3 反倒

● 秋天，游人都走开，这地方反倒更可爱些。

副词，表示跟前面的意思相反，出乎意料或与常理相反。例如：

（1）正所谓"不打不成交"，我俩大吵了一架，关系反倒亲密了。

（2）吃了那么多药，病不但没好，反倒越来越重了。

（3）他在论文中对教授的观点提出疑问，教授不但没生气，反倒称赞了他。

4 若干

● 论吃食，苹果，梨，柿，枣，葡萄，都每样有若干种。

　　用于指不定量，相当于"一些"；或问数量，相当于"多少"。例如：

（1）最近报上发表了一组文章，讨论有关基础教育的若干问题。

（2）若干年以前，这个小镇已经成为了水陆交通中心。

（3）这幅画出自名家之手，您给估估价，它价值若干？

5 刚好

● 果子而外，羊肉正肥，高粱红的螃蟹刚好下市，而良乡的栗子也香闻十里。

　　副词，恰巧，正巧。例如：

（1）我是在飞机上认识的小马，刚好他也去研究所，我们同路。

（2）我正担心买不到芭蕾舞演出的票，刚好有两个人退了票。

（3）周六刚好是妹妹的生日，全家人一起热闹热闹。

　　"刚好"还有形容词的用法，相当于"正好、正合适"。例如：

（4）我喜欢喝他煮的咖啡，浓淡刚好。

（5）这条裙子我穿着有点儿长，姐姐比我高，她一试，不大不小，刚好。

6 一律

● 各处的小宅，不管是什么材料盖成的，一律叫做"不会草堂"——在抗战中，开会开够了，所以永远"不会"。

　　副词，表示全部，没有例外，所指代的事物一般要出现在"一律"前。例如：

（1）会上发言要简短，请代表们注意时间，一律不得超过二十分钟。

（2）这家小店叫"粉红小屋"，里里外外一律刷成粉红色，打眼的颜色吸引了不少过路人。

（3）班上除了我一律是二十几岁的年轻人，为了不落后，我不得不加倍努力。

　　"一律"还有形容词的用法，表示一个样子，相同，多用在双音节词语后。例如：

（4）我不爱看言情小说，千篇一律，没什么意思。

（5）这批仪器都是按照一个标准生产的，规格一律。

（6）每个人都有自己的想法，不能强求一律。

7　不至于

● 那时候，飞机一定很方便，我想四季搬家也许不至于受多大苦处的。

表示不会达到某种程度。例如：

（1）我的英语口语是差一些，但还不至于连买东西问路都成问题。

（2）老王平时最爱看书了，不至于连这点儿常识也没有吧。

（3）A：听说对方有好几个国家级球员，我们别让人家打个0比3。

　　B：不至于吧，我们队实力也不弱。

语言点练习

一　请用括号里的词语完成句子或对话：

1. A：我听老人们说，我们家祖上是从中原地区迁移过来的。

　 B：那是传说，＿＿＿＿＿＿＿＿＿＿＿＿＿＿＿＿＿＿＿＿。（无从）

2. 这个数码相机的说明书是日语的，我不懂日语，＿＿＿＿＿＿＿＿＿＿
＿＿＿＿＿＿＿＿＿＿。（无从）

3. A：放暑假别人都去海边旅游，你怎么倒去青城山呢？

　 B：海边人太多，＿＿＿＿＿＿＿＿＿＿＿＿＿＿＿，所以我想去青城山。
　 （再说）

4. 我以前的那家公司收入虽然高，工作压力太大，＿＿＿＿＿＿＿＿＿＿＿
＿＿＿＿＿＿＿＿＿＿，我干了几年就离开了。（再说）

5. 你不解释还好，你一解释，＿＿＿＿＿＿＿＿＿＿＿＿＿＿＿。（反倒）

6. A：昨天的排球赛真精彩！

　 B：可不是，前两局我们队都输了，＿＿＿＿＿＿＿＿＿＿＿。（反倒）

7. 教授看了我的论文，＿＿＿＿＿＿＿＿＿＿＿＿＿＿＿＿＿。（若
干）

8. A：做"麻婆豆腐"需要准备哪些材料？

　 B：一块豆腐，一些猪肉或牛肉，＿＿＿＿＿＿＿＿＿＿＿＿＿＿＿。
　 （若干）

9. A：我给妈妈买了一件羊毛衫，下午去邮局寄走。

   B：别寄了，_____，托他带去吧。（刚好）

10. 小王约我去逛街，_____，正想出去买。（刚好）

11. A：这些记者真无聊，一上来就追问他和女明星的关系。

    B：他也很老练，不管记者怎么问，_____。（一律）

12. 百货公司圣诞节大酬宾，_____。（一律）

13. A：听说年底专卖店为了提高销售量，会大幅度降低汽车的价格。

    B：今年车价已经降了几次了，_____。（不至于）

14. 我从小就随父母离开故乡，家乡话讲不太好，_____
    _____。（不至于）

二 请用本课学习的语言点回答问题：

1. 今天在讨论课上，你怎么一言不发？（无从）

2. 你那么想当记者，是受父母的影响吗？（再说）

3. 电视上说这个年轻人"三十岁的人，六十岁的心脏"，这是什么意思？（反倒）

4. 这个月校学生会举办古典音乐节，有什么活动？（若干）

5. 你到北大得换两次车，怎么来得这么快？（刚好）

6. 那家公司对员工的穿戴有要求吗？（一律）

7. 姥姥这次病得不轻，医生怎么说？（不至于）

综合练习

一 请熟读下面的句子，注意体会加点词的用法，并模仿造句：

1. 不管我的梦想能否成为事实，说出来总是好玩的。

2. 山上的光景如何？没有看到。三四月的莺花山水如何，也无从晓得。

3. 假若青城去不成，求其次者才提到青岛。

4. 论天气，不冷不热。论吃食，苹果，梨，柿，枣，葡萄，都每样有若干种。至于北平特产的小白梨与大白海棠，恐怕就是乐园中的禁果吧，连亚当与夏娃见了，也必滴下口水来！

5. 成都或者是相当的合适，虽然并不怎样和暖，可是为了水仙，素心腊梅，各色的茶花，与红梅绿梅，仿佛就受一点寒冷，也颇值得去了。

6. 既然阔起来，我就能住在杭州，青城山，北平，成都，都盖起一所中式的小三合房，自己住三间，其余的给友人们住。

7. 各处的小宅，不管是什么材料盖成的，一律叫做"不会草堂"。

二　选词填空：

酷暑　　翠竹　　奇峰　　胜迹　　清香

1. 去年我去南京，参观了中山陵等_____。

2. 去年七月间，他们一行人冒着_____考察了贫困地区。

3. 那个山区的_____很特别，绿色的竹子上有金色的斑纹，被称为"金镶玉"。

4. 据说熬粥时，把新鲜的荷叶盖在锅上，熬出来的粥就是淡淡的绿色，还有一股荷叶的_____。

5. "五岳归来不看山，黄山归来不看岳"，看过了黄山的_____，别处的山峰都黯然失色了。

光润　　湿闷　　幽静　　甲天下　　残

6. 近年来夏天常常有一段非常_____的"桑拿天"，汗出不来，身上粘粘的，有时候喘不过气来。

7. 在旧书店，他偶然发现了一本《唐诗三百首》，尽管封面有点儿_____，他还是买下了。

8. 小茶馆远离闹市，非常_____，适合跟朋友做亲密的长谈。

9. 院子里的几株玫瑰盛开着，花瓣饱满而_____。

10. 不是吹，我们这里出产的苹果个大、漂亮、香甜，可以_____。

三　请根据课文回答下面的问题，并把回答的内容写成一段话：

1. "我"在重庆住了多久？"我"对重庆的印象怎么样？

2. "我"梦想要在哪些地方安家？

3. "我"只在杭州住过两天，为什么春天一定要在杭州安家？

4. 夏天青城山的景色如何？最吸引"我"的是什么？

5. 如果"我"不能住在青城山，夏天"我"希望在哪里安家？"我"对青岛的印象怎么样？

6. 为什么"我"认为"北平之秋便是天堂"？

7. 冬天"我"打算在哪里安家？对于"我"而言，成都和昆明各有哪些利弊？

8. "我"梦想中的家园是什么样的？

9. 文章中提到的这些城市中，你最喜欢哪个？为什么？

10. 自然风光和人文景观，哪个更吸引你？

11. 说说你梦想中的家园。

四　在课文的第三段，作者重点写了青城山的"绿色"："它的那一片绿色已足使我感到这是仙人所应住的地方了。到处都是绿，而且都是像嫩柳那么淡，竹叶那么亮，蕉叶那么润，目之所及，那片淡而光润的绿色都在轻轻的颤动，仿佛要流入空中与心中去似的。这个绿色会像音乐似的，涤清了心中的万虑……"，请模仿这段文字，试着描写一种颜色。

五　如果夏天你有两个星期的假期，你想去什么地方度假？请你为旅行社设计一份旅游广告，宣传一个夏季旅游度假胜地。

副课文

这篇副课文的作者来自热带国家，到北京后他开始用自己的身体去理解、感受所谓寒冷的文化，你认为四季冷暖可以称为文化吗？

寒冷的文化

张爱玲说吃辣是一种训练出来的品味，我怀疑北方人对寒冷的感受亦如是。寒冷不只是气候，也是一种文化，比宏伟牢固的紫禁城更早地竖立在北京人的生活里。

我来自一个热带国家。那里气温恒常徘徊在摄氏30度左右；天气预报只是报纸和电视节目的点缀，一般不会引起太多注意。中文里表达寒冷的字眼很多，随手拈来就有"冷"、"凉"、"冻"、"冰"、"寒"；翻译成我所在国的国语，数来数去只有"se-juk"一词勉力应付所有的冷——在措辞高雅一点的场合，或许还能加上"dingin"——如此罢了。像我们的天气预报一般，"寒冷"名副其实地遭到了"冷遇"。

我没有足够的词汇去认识"寒冷"，所以第一次面对北京的冬季，心里战战兢兢的。我开始去揣摩"寒冷"，学习各种对付"寒冷"的方

品味 pǐnwèi（名）（物品的）品质和风味 taste; savour

宏伟 hóngwěi（形）（规模、计划等）雄壮伟大 magnificent; grand

竖立 shùlì（动）物体竖直，一端向上，一端接触地面或埋在地里 erect; set upright; stand

徘徊 páihuái（动）在一个地方来回地走，比喻事物在某个范围内来回浮动、起伏

点缀 diǎnzhuì（动）加以衬托或装饰，使原有事物更加美好 embellish; ornament; adorn

字眼 zìyǎn（名）用在句子中的字或词

勉力 miǎnlì（动）努力；尽力

措辞 cuòcí（动）说话、写文章时选用词句

名副其实 míngfùqíshí（成语）名称或名声与实际相符合

冷遇 lěngyù（名）冷淡的待遇

战战兢兢 zhànzhànjīngjīng 形容因害怕而微微发抖的样子

揣摩 chuǎimó（动）反复思考推测

式，或向经验丰富的中国朋友请教，或在眼花缭乱的秋冬季服装市场里兜圈。

直到有一天，我觉得自己对"寒冷"有足够的知识了，可以信心满怀地走出宿舍时，遇到了一个马来西亚同乡。他劈头第一句就说："差点认不出你了，怎么包成了一个粽子？"我走在路上，从脸孔热到身体里来，心里感到莫大的挫折。

后来我留心四周，发现确如同乡所说的：马来西亚人穿得最单薄。当那些有着丰富寒冷经验的韩国人、欧洲人、日本人煞有介事地穿上羽绒服、皮大衣时，马来西亚人罩上风衣就潇洒出门了。

南方人比较耐寒吗？我听到许多这样的说法：南方没有暖气系统，所以那里的人比较能抵御寒冷。这样的说法不能应用在马来西亚人身上。我们那里的气温，如果降到10度以下，势必要劳烦BBC现场报道了；既然从来不冷，何来的"抵御"呢？

我想，并非马来西亚人比较耐寒，而是我们从来没有"寒冷"的文化，指示我们应该穿什么、做什么、吃什么。既然没有这样的传统，这样的语言，这样的习惯，我们只能靠自己的身体去理解寒冷、感受寒冷。

眼花缭乱 yǎnhuā liáoluàn 眼睛看见复杂纷繁的东西而感到迷乱 be dazzled

兜圈 dōu quān 绕圈儿

劈头 pītóu（副）开头；起头

煞有介事 shàyǒu jièshì 好像真有这回事似的。多指大模大样，好像有什么了不起

罩 zhào（动）遮盖；扣住 cover; overspread; wrap

潇洒 xiāosǎ（形）（神情、举止、风貌等）自然大方，有韵致，不拘束 natural and unrestrained; elegant and uncoventional

耐 nài（动）受得住；禁得起

抵御 dǐyù（动）用力量制止对方的进攻

劳烦 láofán（动）表示请托

现场 xiànchǎng（名）直接从事生产、演出、试验等的场所 site; spot

而北方人却完全相反。在他们出生以前，整个寒冷的文化就存在了。他们的社会里早有一套完全的御寒系统，教懂他们从温度计、天气预报和日历上阅读各种寒冷的信息，并且制定下相应的对付方法。这个方法沿袭下来成了习惯，身体的反应反而被这些信息、符号驯服了。

北京市里的老人家总过早地披上厚重的寒衣——据说在他们年轻的时代，北京的温度要比现在低得多；虽然现在温度大大提升，御寒的习性仍主宰着他们的身体。

所谓入乡随俗，再加上对"寒冷"的敬畏，我打算好好地学习这一把。要理解寒冷，最容易的方式就是在花里胡哨的摊子商店里走一趟，那里有全套的御寒装备：手套、帽子、袜子、围巾、棉拖鞋、羊毛毡子、滋润霜，等等；要不，端坐在家里，也可以从电视广告里看到商品的真人示范。

尽管这些资讯唾手可得，心里却不免有点失望：这就是北京大都会寒冷文化的所有内容吗？啊不，我没有忘记今年春季在公车上遇到的老妇人所带给我的美丽幻想：冬季应该到故宫旅游。

看茫茫白雪覆盖在古帝国的遗

温度计 wēndùjì（名）测量温度的仪器
相应 xiāngyìng（动）互相呼应或照应；相适应
沿袭 yánxí（动）依照旧传统或原有的规定办理
符号 fúhào（名）记号；标记
驯服 xùnfú（动，形）顺从；使顺从

寒衣 hányī（名）御寒的衣服

提升 tíshēng（动）提高
习性 xíxìng（名）长期在某种自然条件或社会环境下所养成的特性
主宰 zhǔzǎi（动）支配；统治；掌握 dominate; dictate; decide
入乡随俗 rù xiāng suí sú 到一个地方就按照当地的风俗习惯生活
敬畏 jìngwèi（动）又敬重又畏惧
花里胡哨 huālihúshào（形）五颜六色，过于繁杂 gaudy; garish; showy
毡子 zhānzi（名）用羊毛等压成的像厚呢子或粗毯子似的东西 felt; felt rug; felt blanket
滋润霜 zīrùnshuāng（名）增添皮肤水分，使不干燥的化妆品 moisture cream
示范 shìfàn（动）做出某种可供大家学习的典范 set an example; demonstrate
资讯 zīxùn（名）信息
唾手可得 tuò shǒu kě dé 比喻非常容易得到

茫茫 mángmáng（形）广大而辽阔
遗迹 yíjì（名）古代或旧时代的事物遗留下来的痕迹

迹，便成为我念念不忘的冬季心愿了。不久的将来，生命中第一场白雪即将款款落下，我也就能领会数百年以来最明丽也最苍凉的冬的文化……这个幻想没有持续多久，因为我随即想起，故宫的入门票要40块——市内旅游胜地最昂贵的。终于发现，在今天的北京，所谓寒冷的文化，其实就是"寒冷的消费文化"。

（选自《南方周末》，

作者：陆春兵〈马来客〉）

念念不忘 niànniàn bú wàng 牢记在心，时刻不忘

款款 kuǎnkuǎn （形）缓慢

明丽 mínglì （形）（景物）明净美丽

苍凉 cāngliáng （形）寂寞冷落

持续 chíxù （动）延续不断

昂贵 ángguì （形）价格很高

 副课文练习

一 **请根据副课文回答下列问题：**

1. "我"家乡的气候怎么样？

2. 第一次面对北京的冬季，"我"做了哪些准备？

3. 当"我"自认为对寒冷有了足够的知识以后，为什么又"心里感到莫大的挫折"？

4. 为什么北方人反而不耐寒？南方人和北方人认识寒冷的途径有什么不同？

5. 在北京过冬，"我"最大的心愿是什么？

6. 请联系上下文，解释下列句子的含义：

① 寒冷不只是气候，也是一种文化，比宏伟牢固的紫禁城更早地竖立在北京人的生活里。

② 天气预报只是报纸和电视节目的点缀，一般不会引起太多注意。

③ 我们那里的气温，如果降到10度以下，势必要劳烦BBC现场报道了；既然从来不冷，何来的"抵御"呢？

④ 这个方法沿袭下来成了习惯，身体的反应反而被这些信息、符号驯服了。

⑤ 终于发现，在今天的北京，所谓寒冷的文化，其实就是"寒冷的消费文化"。

二　选词填空：

> 竖立　　兜圈　　沿袭　　揣摩　　示范　　抵御

1. 起飞前，飞机上的乘务员给乘客们＿＿＿＿＿＿如何穿救生衣。
2. 端午节吃粽子、赛龙舟的习俗一直＿＿＿＿＿＿下来。
3. 我仔细＿＿＿＿＿＿字典上的例句，体会这个词的用法。
4. 我们迷路了，尽在这一带＿＿＿＿＿＿。
5. 我买了羽绒服、围巾、手套，应该可以＿＿＿＿＿＿哈尔滨的严寒了。
6. 街道上＿＿＿＿＿＿起一个巨型广告牌。

三　分组讨论：

1. 中文里关于"冷"和"热"有哪些词语？
2. 介绍一下你家乡的气候，并说明不同的季节里人们相应地有哪些活动。
3. 现在"文化"一词用得非常宽泛，比如"饮食文化"、"茶文化"、"胡同文化"，甚至"厕所文化"等等，你对"文化"怎么理解？

钱钟书

准备

　　这篇文章的作者杨绛女士是钱钟书的夫人，她以非常幽默的笔调写了钱钟书的"痴气"，钱钟书的童年趣事和青年时期求学的经历以及家庭生活中的琐事。请阅读这篇课文，并试着回答下面的问题。

1. 钱钟书的"痴气"表现在哪些方面？
2. 钱钟书的童年有哪些趣事？
3. 钱钟书喜欢读哪些书籍？
4. 除了读书外，钱钟书还有些什么爱好？
5. 课文中提到了钱钟书的哪些著作？
6. 钱钟书的家里有几口人？为什么他只要一个孩子？

　　钟书自小在大家庭长大，和堂兄弟的感情不输亲兄弟。亲的、堂的兄弟共十人，钟书居长。众兄弟间，他比较稚钝，孜孜读书的时候，对什么都没个计较，放下书本，又全没正经，好像有大量多余的兴致没处寄放，专爱胡说乱道。钱家人爱说他有"痴气"。我们无锡人所谓"痴"包括很多意义：疯、傻、憨、稚气、骏气、淘气等等。他不像他母亲那样沉默寡言、严肃谨慎，也不像他父亲那样一本正经。他母亲常抱怨他父亲"憨"。也许钟书的"痴气"和他父亲的憨厚正是一脉相承的。我曾看过他们家的旧照片。他的弟弟都精精壮壮，唯他瘦弱，善眉善眼的一副忠厚可怜相。想来那时候的"痴气"只是痴气、骏气，还不会淘气呢。

　　他有些混沌表现，至今依然如故。例如他总记不得自己的生年月日。小时候他不会分辨左右，好在那时候穿布鞋，不分左右脚。后来他和钟韩同到苏州上美国教会中学的时候，穿了皮鞋，他仍然不分左右乱穿。在美国人办的学校里，上体育课也用英语喊口号。他因为英文好，当上了一名班长。可是嘴里能用英语喊口号，两脚却左右不分；因此只当了两个星期的班长就给老师罢了官，他也如释重负。他穿内衣或套脖的毛衣，往往前后颠倒，衣服套在脖子上只顾前后掉转，结果还是前后颠倒了。也许这也是钱家人说他"痴"的又一表现。

　　钟书小时最喜欢玩"石屋里的和尚"。我听他讲得津津有味，以为是什么有趣的游戏；原来只是一人盘腿坐在帐子里，放下帐门，披着一条被单，就是"石屋里的和尚"。我不懂那有什么好玩。他说好玩得很；晚上伯父伯母教他早睡，他不肯，就玩"石屋里的和尚"，玩得很乐。所谓"玩"，不过是一个人盘腿坐着自言自语。小孩自言自语，其实是出声的想象。我问他是否编造故事自娱，他却记不得了。这大概也算是"痴气"吧。

　　钟书十四岁和钟韩同考上苏州桃坞中学（美国圣公会办的学校）。父母为他置备了行装，学费书费之外，还有零用钱。他就和钟韩同往苏州上学，他的功课都还不错，只算术不行。

　　那年他父亲到北京清华大学任教，寒假没回家。钟书寒假回家没有严父管束，更是快活。他借了大批的《小说世界》、《红玫瑰》、《紫罗兰》等刊物恣意阅读。暑假他父亲归途阻塞，到天津改乘轮船，辗转回家，假期已过了一半。他父亲回家第一件事是命钟书钟韩各做一篇文章；钟韩的一篇颇受夸赞，钟书的一篇不文不白，用字庸俗，他父亲气得把他痛打一顿。钟书忍笑向我形容他当时的窘况：家人都在院子里乘凉，他一人还在大厅上，挨了打又痛又羞，呜呜地哭。这顿打**虽然没有**起开通思路的作用，**却也**激起了发奋读书的志气。钟书从此用功读书，作文大有进步，受到父亲赞许。他也开始学着做诗，只是并不请教父亲。一九二七年桃坞中学停办，他和钟韩同考入美国圣公会办的无锡辅仁中学，钟书就经常有父亲管教，常为父亲代笔写信，由口授而代写，由代写信而代作文章。钟书考入清华之前，已不复挨打而是父亲得意的儿子了。一次他代父亲为乡下某大户作了一篇墓志铭。那天午饭时，钟书的姆妈听见他父亲对他母亲称赞那篇文章，快活得按捺不住，立即去通风报信："阿大啊，爹爹称赞你呢！说你文章做得好！"钟书是第一次听到父亲称赞，也和姆妈一样高兴，所以至今还记得清清楚楚。那时商务印书馆出版钱穆的一本书，上有钟书父亲的序文。据钟书告诉我，那是他代写的，一字没有改动。

我常见钟书写客套信从不起草，提笔就写，八行笺上，几次抬头，写来**恰好**八行，一行不多，一行不少。钟书说，那都是他父亲训练出来的，他额角上挨了不少"爆栗子"呢。

钟书二十岁那年考上清华大学，秋季就到北京上学。他父亲收藏他的家书是那时候开始的。他父亲身后，钟书才知道父亲把他的每一封信都贴在本子上珍藏。信写得非常有趣，对老师、同学都有生动的描写。

钟书小时候，中药房卖的草药每一味都有两层纸包裹；外面一张白纸，里面一张印着药名和药性。每服一副药可攒下一叠包药的纸。这种纸干净、吸水。钟书八九岁左右常用包药纸来临摹他伯父藏的《芥子园画谱》，或印在《唐诗三百首》里的"诗中之画"。他为自己想出一个别号叫"项昂之"——因为他佩服项羽，"昂之"是他想象中项羽的气概。他在每幅画上挥笔署上"项昂之"的大名，得意非凡。他大约常有"项昂之"的兴趣，只恨不善画。他曾央求当时在中学读书的女儿为他临摹过几幅有名的西洋淘气画，**聊以**过瘾，想来这也是"痴气"的表现。

钟书在他父亲的教导下"发奋用功"，其实他读书还是出于喜好，只似馋嘴佬贪吃美食：食肠很大，不择精粗，甜咸杂进。极俗的书他也能看得哈哈大笑。戏曲里的插科打诨，他不仅且看且笑，还一再搬演，笑得打跌。精微深奥的哲学、美学、文艺理论等大部著作，他像小儿吃零食那样吃了又吃，厚厚的书一本本渐次吃完。诗歌更是他喜好的读物。重得拿不动的大字典、辞典、百科全书等，他不仅挨着字母逐条细读，见了新版本，还不嫌其烦地把新条目增补在旧书上。他看书常做些笔记。

钟书的"痴气"也怪别致的。他逗女儿玩，每天临睡在她被窝儿里埋置"地雷"，埋得一层深入一层，把大大小小的各种玩具、镜子、刷子，甚至砚台或大把的毛笔都埋进去，等女儿惊叫，他就得意大乐。女儿临睡必定小心搜查一遍，把被里的东西一一取出。钟书恨不得把扫帚、畚箕都塞入女儿被窝儿，博取一遭意外的胜利。这种玩意儿天天玩也没多大意思，可是钟书百玩不厌。

他很认真地跟我说："假如我们再生一个孩子，说不定比阿圆好，我们就要喜欢那个孩子了，那我们怎么对得起阿圆呢。"提倡一对父母生一个孩子的理论，还从未讲到父母为了用情专一而只生一个。

钱家人常说钟书"痴人有痴福"。他作为书痴，倒真是有点痴福。供他阅读的书，会从各方面源源供应。新书总会从意外的途径到他手里。他只要有书可读，别无营求。这又是家人所谓"痴气"的另一表现。

我认为《管锥篇》、《谈艺录》的作者是个好学深思的钟书，《槐聚诗存》的作者是个"忧世伤生"的钟书，《围城》的作者呢，就是个"痴气"旺盛的钟书。我们俩日常相处，他常爱说些痴话，说些傻话，然后再加上创造，加上联想，加上夸张，我常能从中体味到《围城》的笔法。我觉得《围城》里的人物和情节，都凭他那股子痴气，呵成了真人实事。可是他毕竟不是个不知世事的痴人，也毕竟不是对社会现象漠不关心，所以小说里各个细节虽然令人捧腹大笑，全书的气氛，正如小说结尾所说："包含对人生的讽刺和伤感，深于一切语言、一切啼笑"，令人回肠荡气。

（选自《将饮茶》〈校定本〉，作者：杨绛。有改动。）

● 注释

1. 杨绛（Yáng Jiàng）著名作家、评论家、翻译家、学者。本名杨季康。祖籍江苏无锡，1911年生于北京。1932年毕业于苏州东吴大学，1935—1938年留学英法。回国后曾在上海震旦女子文理学院、清华大学任教。1949年后，在中国社会科学院文学研究所、外国文学研究所工作。主要作品有剧本《称心如意》《弄假成真》，长篇小说《洗澡》，散文集《干校六记》，随笔集《将饮茶》，译作《堂·吉诃德》《小癞子》等。

2. 钱钟书（Qián Zhōngshū，1910—1998）现代学者、作家。字默存，号槐聚，江苏无锡人。1933年毕业于清华大学。1935年与杨绛结婚，同赴法国留学。1937年毕业于英国牛津大学，获副博士学位。又赴法国巴黎大学进修法国文学。回国后曾任昆明西南联大外文系教授、上海暨南大学外语系教授、北京图书馆英文馆刊顾问、中央图书馆外文部总编纂等。著有长篇小说《围城》，短篇小说集《人·兽·鬼》，文论及诗文评论《谈艺录》，散文集《写在人生边上》，著有多卷本《管锥编》等。

1 稚钝	zhìdùn	【形】	不成熟并且不灵活
2 孜孜	zīzī	【形】	勤奋
孜孜不倦			
3 计较	jìjiào	【动】	计算比较
斤斤计较			
◎ 他过于计较个人得失，同事们都不愿意跟他合作。			
4 正经	zhèngjing	【形】	（品行、作风）规矩，严肃，光明正大
◎ 老王是个正经人，从不搞邪门歪道。			
5 兴致	xìngzhì	【名】	兴趣
◎ 明天是中秋节，你们有没有兴致去后海赏月？			
6 寄放	jìfàng	【动】	把东西暂时托付给别人保管
◎ 我把大箱子寄放在火车站了，只带个随身的小包。			

7	痴气	chīqì	【名】	傻；愚笨
8	憨	hān	【形】	朴实；天真 straightforward; naive; ingenuous

◎ 这孩子很憨。◎ 大熊猫的憨态惹人发笑。

| 9 | 稚气 | zhìqì | 【名】 | 孩子气 |

◎ 弟弟才八岁，满脸稚气，十分可爱。

| 10 | 骏气 | áiqì | 【名】 | （方言词）傻 |
| 11 | 淘气 | táoqì | 【形】 | 顽皮 naughty; mischievous |

◎ 弟弟小时候特别淘气，经常把别的小朋友惹哭。

12	沉默寡言	chénmò guǎyán	【成语】	不爱说笑
13	谨慎	jǐnshèn	【形】	对外界事物或自己的言行密切注意，以免发生不利或不幸的事情
14	一本正经	yì běn zhèngjīng	【成语】	形容表现得很庄重，很规矩，很认真，有时含有讽刺意味 in all seriousness; in dead earnest

一本正经地讲解　一本正经的表情　言谈举止一本正经

| 15 | 抱怨 | bàoyuàn | 【动】 | 因为不如意而责备别的人或事物 |

◎ 抱怨自己运气差。
◎ 外面雨雪交加，酒馆里的人边喝酒边抱怨这鬼天气。

| 16 | 憨厚 | hānhòu | 【形】 | 老实厚道 straightforward and good-natured; simple and honest |

憨厚的村民　憨厚地笑着

| 17 | 一脉相承 | yí mài xiāng chéng | 【成语】 | 由一个血统或一个派别流传下来 come down in one continuous line |

◎ 他家祖孙三人都是中医，他们的医术一脉相承。

| 18 | 精壮 | jīngzhuàng | 【形】 | 强壮 |
| 19 | 唯 | wéi | 【副】 | （书面语）单单；只 |

◎ 唯利是图、唯命是从、唯我独尊
◎ 雪后凭窗远眺，唯见白茫茫的大地。

| 20 | 瘦弱 | shòuruò | 【形】 | 肌肉不丰满，软弱无力 thin and weak; emaciated; frail |

瘦弱的孩子　身体十分瘦弱

| 21 | 忠厚 | zhōnghòu | 【形】 | 忠实厚道 |

◎ 小店的老板待人忠厚，做生意讲究诚信。

22	混沌	hùndùn	【形】	糊里糊涂、无知无识的样子 ignorant; simple-minded; muddle-headed
23	分辨	fēnbiàn	【动】	辨别 distinguish; differentiate; tell

◎ 雾太大，连方向也分辨不清了。

◎ 你能从外表上能分辨出南方人和北方人吗？

24	教会	jiàohuì	【名】	天主教、东正教、新教等教派的信徒组织 church
25	罢官	bà guān		解除官职 dismiss from office
26	如释重负	rú shì zhòngfù		像放下重担子一样，形容心情紧张后的轻松愉快

◎ 交了卷子，他如释重负地走出考场。

◎ 医生说孩子的病不要紧，父母如释重负地出了口气。

27	内衣	nèiyī	【名】	指贴身穿的衣服，与外衣相对
28	颠倒	diāndǎo	【动】	上下、前后跟原有的或应有的位置相反

◎ 按照包装盒上的箭头放，别颠倒了。

◎ 她叫"王红英"，名单上写颠倒了，写成了"王英红"。

29	只顾	zhǐgù	【副】	表示注意力集中在某件事上，而没有注意其他的事情
30	掉转	diàozhuǎn	【动】	改变成相反的方向

◎ 上班路上，他发现忘了一份文件，于是掉转车头回家去取。

31	和尚	héshang	【名】	出家修行的男佛教徒 Buddhist monk
32	游戏	yóuxì	【名】	娱乐活动的一种，有智力型的，如下棋，猜谜等，也有活动型的，如捉迷藏等 recreation; game
33	盘腿	pán tuǐ		坐时两腿弯曲交叉地平放在身子前面 cross one's legs
34	帐子	zhàngzi	【名】	用布、纱或绸子等制作的挂在床上方的东西 bed-curtain
35	被单	bèidān	【名】	铺在床上或盖在被子上的布 (bed) sheet
36	自言自语	zì yán zì yǔ		自己对自己说话

◎ 他一边思考，一边自言自语。

37	编造	biānzào	【动】	凭想象创造（故事、谎话等）create out of the imagination

◎ 他的新小说虽说是编造的，但还是有事实基础的。

38 行装	xíngzhuāng	【名】	出门时所带的衣服、被褥等

出远门前整理行装

39 算术	suànshù	【名】	数学中最基础、最初等的部分 arithmetic
40 任教	rèn jiào		担任教师工作

◎ 今年是他在这所中学任教十周年。

◎ 祖父年轻时曾在这所大学任过教。

41 管束	guǎnshù	【动】	加以约束，使行为不超出规章制度所允许的范围 restrain; check; control

对孩子严加管束　对部下严加管束　管束雇员

42 快活	kuàihuo	【形】	愉快；快乐
43 刊物	kānwù	【名】	登载文章、图片、歌谱等定期的或不定期的连续出版物 publication

文艺刊物　休闲刊物　内部刊物

44 恣意	zìyì	【副】	任性；任意 unscrupulous; reckless; unbridled; wilful

恣意开采造成资源的匮乏　恣意侵犯别人的著作权

◎ 他不顾国法，恣意妄为。

45 阻塞	zǔsè	【动】	有障碍而不能通过 block; obstruct; clog

交通阻塞　阻塞道路　阻塞言路

46 辗转	zhǎnzhuǎn	【动】	经过许多人的手或经过许多地方；不是直接地

◎ 这本小说最初并没有正式出版，而是在民间辗转传抄。

◎ 洪水冲断了铁路，我们一行人辗转回到了家乡。

47 夸赞	kuāzàn	【动】	称赞

夸赞他的论文　夸赞食堂的饭菜味道好

48 庸俗	yōngsú	【形】	寻常而粗俗；不高尚

◎ 有的电视节目主持人喜欢开一些庸俗的玩笑。

◎ 小报上常常登一些趣味庸俗的文章。

49 痛打	tòngdǎ	【动】	狠狠地打
50 窘况	jiǒngkuàng	【名】	（书面语）非常困难又无法摆脱的情况

◎ 答辩时教授问了我几个问题，我根本回答不了，当时的窘况我记忆犹新。

51 乘凉	chéng liáng		热天在凉快透风的地方休息
52 发奋	fāfèn	【动】	振作起来

发奋努力　发奋向上

| 53 志气 | zhìqì | 【名】 | 求上进的决心和勇气；要求做成某事的气概 aspiration; ambition |

从小就有志气　运动员志气昂扬

| 54 赞许 | zànxǔ | 【动】 | 称赞 |

赞许青年学者　提议得到社会各界一致赞许

| 55 管教 | guǎnjiào | 【动】 | 约束教育 |

◎ 从小爷爷对他严格管教，使他养成了内向的性格。

◎ 父母去外地经商，他无人管教，经常逃学。

| 56 代笔 | dàibǐ | 【动】 | 替别人写书信、文章、文件等 |
| 57 口授 | kǒushòu | 【动】 | ① 自己口述，由别人代写 dictate |

◎ 总经理口授了合同的内容，由秘书执笔完成。

② 以口头方式传授 teach or instruct orally

58 大户	dàhù	【名】	旧时指有钱有势的人家
59 墓志铭	mùzhìmíng	【名】	放在墓里刻有死者生平事迹的石刻。也指墓志上的文字 inscription on the memorial tablet within a tomb; epitaph
60 按捺	ànnà	【动】	压下去，抑止

◎ 球迷按捺不住激动的情绪，大声欢呼起来。

| 61 通风报信 | tōng fēng bào xìn | | 把一方的机密消息暗中告知另一方 |

◎ 他喜欢小李的姐姐。为了了解她的情况，求小李给他通风报信。

| 62 序文 | xùwén | 【名】 | 一般写在著作正文之前的文章。有作者自己写的，多说明写书的宗旨和经过。也有别人写的，多介绍或评论书的内容 preface; foreword |
| 63 客套 | kètào | 【名】 | 表示客气的套话 |

◎ 老朋友见面不用讲客套。

| | | 【动】 | 说客气话 |

◎ 刚才在超市遇见同事小赵，免不了客套几句。

| 64 起草 | qǐ cǎo | | 打草稿 |

起草一份合同　论文刚起草

| 65 笺 | jiān | 【名】 | 写信或题词用的纸 |

信笺　便笺

| 66 恰好 | qiàhǎo | 【副】 | 正好、刚好 |
| 67 额角 | éjiǎo | 【名】 | 额头的两旁 |

68	爆栗子	bào lìzi		头上被手指弹打
69	收藏	shōucáng	【动】	收集并保存
70	家书	jiāshū	【名】	家信
71	珍藏	zhēncáng	【动】	认为有价值而妥善地收藏

◎ 这幅画是临摹的，原件珍藏在北京故宫博物院。

◎ 孩子小时候的作业本妈妈当作宝贝似的珍藏着。

　　　　　　　　　　【名】　　珍藏的物品

◎ 老人将自己的全部珍藏都捐献给了博物馆。

72	包裹	bāoguǒ	【动】	① 包起来并捆好

◎ 她把给朋友的生日礼物小心地包裹起来。

◎ 工作人员把捐来的衣被包裹好，送到受灾的地区。

　　　　　　　　　　【名】　　② 包好的包儿

◎ 母亲每年给他们寄好几个包裹，都是农产品。

73	药性	yàoxìng	【名】	药的性质
74	攒	zǎn	【动】	积聚；储蓄 accumulate; hoard; save

　　　　攒钱　攒邮票　攒积分

75	临摹	línmó	【动】	对着书画、碑帖等模仿学习 copy (a model of calligraphy or painting)
76	别号	biéhào	【名】	名、字以外另起的称号

◎ 唐代大诗人李白，字太白，别号青莲居士。

77	署	shǔ	【动】	签（名）；题（名）

◎ 网上有一篇引起争论的文章，作者没有署名。

78	央求	yāngqiú	【动】	诚恳而急切地请求

◎ 尽管那个违反交通规则的司机再三央求，警察还是扣了他的驾驶证。

79	过瘾	guòyǐn	【形、动】	满足某种爱好

◎ 好汽车开起来真过瘾。

◎ 春节跟老朋友聚会，过了一把酒瘾。

80	戏曲	xìqǔ	【名】	中国传统的戏剧形式，包括昆曲、京剧和各种地方戏，以歌唱、舞蹈为主要表演手段 traditional opera
81	插科打诨	chā kē dǎ hùn		指戏曲演员在演出中穿插些滑稽的谈话和动作来引人发笑。也泛指说笑话

◎ 京剧里的丑角一出场，就插科打诨，惹人发笑。

◎ 小李插科打诨，搞得一向严肃的老教授也哈哈大笑起来。

82 深奥	shēn'ào	【形】	（道理、含义）高深，不容易了解
			书籍过于深奥　深奥的哲理　深奥的学科
83 渐次	jiàncì	【副】	（书面语）渐渐
			◎ 夜幕降临了，喧闹的街道渐次安静下来了。
84 百科全书	bǎikē quánshū		比较全面系统地介绍文化科学知识的大型工具书 encyclopaedia
85 版本	bǎnběn	【名】	同一部书因编辑、传抄、刻版、排版或装订形式的不同而产生的不同的本子
86 增补	zēngbǔ	【动】	增添补充，加上所缺的或漏掉的
			◎ 工会又增补了几名委员。
87 别致	biézhì	【形】	不同一般，新奇
			◎ 餐桌旁的两把椅子椅背分别做成勺子和叉子形状，想法倒也别致。
88 被窝儿	bèiwōr	【名】	为睡觉叠成的长筒形的被子
89 地雷	dìléi	【名】	一种爆炸性武器，多埋入地下，装有特种引火装置
90 砚台	yàntai	【名】	研墨的文具，多用石头制成
91 惊叫	jīngjiào	【动】	吃惊地喊叫
			◎ 汽车差点儿撞上一位老人，行人都惊叫起来。
92 搜查	sōuchá	【动】	仔细寻找检查
			◎ 警察搜查了这一带，但什么也没找到。
			◎ 在机场过安检时，安全人员搜查了几位旅客的随身行李。
93 恨不得	hènbude	【动】	表示急切地盼望做成某件事情
94 扫帚	sàozhou	【名】	扫地用具，多用竹枝扎成
95 畚箕	běnjī	【名】	三面有边沿，一面敞口的器具，用铁皮、塑料等制成，多用来清除垃圾 dustpan
96 博取	bóqǔ	【动】	用言语、行动取得信任、重视等
			◎ 他故意说笑话博取众人的欢心。
			◎ 那个乞丐不时伸出伤残的手臂以博取过路人的同情。
97 说不定	shuōbudìng	【副】	可能、恐怕
98 专一	zhuānyī	【形】	用心专注，不分心
			◎ 搞学术研究要心思专一。
99 源源	yuányuán	【形】	继续不断的样子
			◎ 救援物资从全国各地源源而来。
			◎ 电影都开演15分钟了，观众们还源源不断地进入影院。

100	深思	shēnsī	【动】	深入地思考

◎ 经过深思熟虑，他决心放弃安逸的工作，开创新的事业。

101	旺盛	wàngshèng	【形】	情绪高涨；茂盛；生命力强

◎ 年轻人精力旺盛，忙了一天，晚上还去唱卡拉OK。

◎ 一场春雨过后，麦苗长势旺盛。

102	联想	liánxiǎng	【动】	由某人或某物而想起其他相关的人或物

◎ 小吃让老人们联想起童年时的生活。

◎ 由他的问候联想起他往日对我的情义。

103	夸张	kuāzhāng	【形】	把事情说得超过了原有的程度；言过其实

◎ 你说得太夸张了，从这里走过去哪里用得了三个钟头！

◎ 这种病传染性很强，医生的说法丝毫不夸张。

104	体味	tǐwèi	【动】	仔细体会

◎ 这首诗只能用心体味，很难用语言描述，只可意会，不可言传。

105	笔法	bǐfǎ	【名】	写字、画画、作文的技巧或特色

◎ 徐悲鸿画的马，笔法奔放有力。

◎ 女作家以细腻的笔法勾画出人物的情感变化。

106	情节	qíngjié	【名】	事情的发生、演变和经过

◎ 曹先生写的童话情节生动、感人。

◎ 警察根据情节轻重对交通肇事者进行了处罚。

107	呵	hē	【动】	呼（气）；哈（气）

◎ 天冷，呵气成冰。◎ 圆珠笔写不出字来了，他放在嘴边呵了呵。

108	世事	shìshì	【名】	世上的事

109	漠不关心	mò bù guānxīn		态度冷淡，一点儿也不关心

对别人漠不关心　　对时事漠不关心

◎ 生态环境的破坏威胁了动植物的生存，我们不能漠不关心。

110	细节	xìjié	【名】	细小的环节或情节 details; particulars

◎ 小说中父亲疼爱儿子的细节感人至深。

111	捧腹大笑	pěng fù dàxiào		双手捧着肚子大笑

112	讽刺	fěngcì	【动】	用比喻、夸张等手法对人或事进行揭露、批评
				或嘲笑 satirize

◎ 作家在小品文中无情地讽刺了那些不讲公共道德的人。

113	伤感	shānggǎn	【形】	因感触而悲伤 sick at heart; sentimental

◎ 不幸的消息传来，大家不免伤感起来。

◎ 秋天的落叶引得诗人无限伤感。

114 回肠荡气　　**huí cháng dàng qì**　　形容文章、乐曲等十分动人

 词语练习

一 根据拼音写出下列词语，然后把它们填在合适的句子里：

zhǎnzhuǎn	jīngjiào	jìjiào	tǐwèi	fěngcì
qǐ cǎo	pán tuǐ	fēnbiàn	ànnà	bóqǔ

1. 看书看累了，他常常＿＿＿＿＿＿坐在地毯上，调整呼吸，放松身心。

2. 轮到小丽表演了，她＿＿＿＿＿＿住紧张的情绪，快步走上舞台。

3. 第一次去女朋友家，小王送好酒给女朋友的父亲，＿＿＿＿＿＿他的好感。

4. 他是古董方面的行家，能＿＿＿＿＿＿是真品还是赝品（yànpǐn，art forgery）。

5. 我对这套房子还比较满意，房东说他已经＿＿＿＿＿＿了一份合同，如果我同意就可以签约了。

6. 我在卖衣服的小店里一直讨价还价，服务员不耐烦了，开始＿＿＿＿＿＿我。

7. 毕业后她一直不太顺利，从南到北，换了很多地方，才＿＿＿＿＿＿来到现在居住的城市。

8. 在取款机前，她发现银行卡里的钱居然不翼而飞了，忍不住＿＿＿＿＿＿起来。

9. 老刘为人过于＿＿＿＿＿＿，显得非常小家子气。

10. "而今识尽愁滋味，欲说还休。欲说还休，却道天凉好个秋。"这句宋词的意思是人到中年，经历过一些事情之后，才能＿＿＿＿＿＿到人生的酸甜苦辣。

jīngzhuàng	yōngsú	zīzī	wàngshèng	táoqì
biézhì	zìyì	zhōnghòu	zhuānyī	shēn'ào

11. 爷爷奶奶对小周宠爱有加，小周从小就不爱读书，常常＿＿＿＿＿＿玩耍。

12. 很多人觉得物理学＿＿＿＿＿＿难懂，可是吴教授却从中体会到无限的

乐趣。

13. 女儿从小就比男孩还＿＿＿＿＿＿，爱搞恶作剧，我总是安慰自己说，"树大自然直"，长大后她会文静一些的。

14. 原来这份杂志还探讨些社会问题，这几年净是些小道消息，名人隐私，越来越＿＿＿＿＿＿。

15. 小徐用心非常＿＿＿＿＿＿，读起书来就浑然忘我。

16. 他是个典型的工作狂，节假日也去办公室加班，＿＿＿＿＿＿不倦地工作，休假反倒让他不知所措。

17. 他年过五十，创作力最＿＿＿＿＿＿的阶段已经过去了。

18. 现在的孩子营养好，个个长得＿＿＿＿＿＿，高大，而且精力过人。

19. 这款小型车的样式非常＿＿＿＿＿＿，看起来像一只大大的鞋子。

20. ＿＿＿＿＿＿老实的性格为他赢得了大家的信任，也结交了不少朋友。

二　根据意思写出下列生词，并填空：

1. 特色　　　　　　　　　　　　　　　（　　　　）
2. 在著作正文之前说明写书的宗旨和经过的文章（　　　　）
3. 全面系统地介绍文化科学知识的大型工具书（　　　　）
4. 把事情说得超过了原有的程度　　　　（　　　　）
5. 代替写　　　　　　　　　　　　　　（　　　　）
6. 研墨的文具　　　　　　　　　　　　（　　　　）
7. 细小的情节　　　　　　　　　　　　（　　　　）
8. 好像放下重担子一样　　　　　　　　（　　　　）
9. 仔细地寻找检查　　　　　　　　　　（　　　　）

a. 作者在散文中着力描写胖胖的父亲穿着黑布大马褂，步履艰难地爬过铁道为儿子买橘子，这个＿＿＿＿＿＿表现了父亲对儿子的深厚感情，使读者感动得流泪。

b. 警察仔细＿＿＿＿＿＿了这个公园，找到了犯罪嫌疑人藏在长椅下的毒品。

c. 最近朋友们都说我写的东西越来越唯美，很有些台湾女小说家的＿＿＿＿＿＿。

d. 表哥爱好收集_____，据他说广东肇庆东郊端溪出产的端砚最好。

e. 他学贯中西，博古通今，记忆力强，文笔又好，被朋友们称为"_____"式的人物。

f. 哥哥的论文要出版了，他请导师写了一篇_____。

g. 父亲早年出外谋生，奶奶不识字，给父亲的信都是请邻居_____的。

h. 网友形容北京地铁高峰时段非常拥挤，说"人进去，相片出来；饼干进去，面粉出来……"，虽说有点儿_____，倒也十分生动。

i. 听到答辩委员会的教授宣布论文通过了，小孙_____，心情一下子开朗愉快起来。

三 请根据意思写出下列成语，并填空：

1. 自己对自己说话 （　　　）
2. 由一个血统或派别流传下来 （　　　）
3. 态度冷淡，一点儿也不关心 （　　　）
4. 说笑话 （　　　）
5. 不爱说笑 （　　　）
6. 双手捧着肚子大笑 （　　　）
7. 把一方的机密消息暗中告知另一方 （　　　）
8. 表现得很庄重，很规矩，很认真 （　　　）

1. 他女朋友在一班，他给他们（　　　），把我们班排练的圣诞晚会节目都告诉了一班。
2. 他从小就性格内向，（　　　），跟爱说爱笑的弟弟成了鲜明对比。
3. 同屋在房间里小声地（　　　），我一问，原来他正在编一个小话剧。
4. 主持人不时（　　　），使现场的气氛活跃起来。
5. 他醉心于古文字研究，对其他的事情（　　　）。
6. 爷爷向孙子请教电脑方面的问题，孙子一下子严肃起来，（　　　）地给爷爷讲解。
7. 他们都是著名语言学家陆教授的学生，学术观点（　　　）。
8. 当年相声大师侯宝林幽默的表演令多少人（　　　）！

语言点

1 只顾

● 衣服套在脖子上只顾前后掉转，结果还是前后颠倒了。

　　副词，表示注意力集中在某件事上，而没有注意其他的事情。例如：

（1）他只顾往前跑，没留心脚下，摔了一跤。

（2）我们只顾聊天了，忘了时间。

（3）这些年他只顾研究学问，忽略了家里人的感受。

2 所谓A，不过是B

● 所谓"玩"，不过是一个人盘腿坐着自言自语。

　　A为要解释的词，B是对A的解释，用"不过"往小或轻的方面说。例如：

（1）女儿在幼儿园学的所谓舞蹈，不过是几个弯腰踢腿的动作。

（2）街上常有人替别人算命，其实所谓算命，不过是察言观色，说些个模棱两可的话而已。

（3）网络语言很有特色，比如所谓GG、MM，不过是"哥哥""妹妹"的缩写罢了。

3 虽然没有/不……，却也……

● 这顿打虽然没有起开通思路的作用，却也激起了发奋读书的志气。

　　后一分句用"却也"引出与"虽然没有/不"引导的前一分句相反的积极的方面。例如：

（1）我刚买了一个提包，虽然不是什么名牌，却也漂亮、实用。

（2）妹妹学了一年多的英语，说得虽然不够流利，却也能应付日常交际。

（3）我虽然没细读过他的作品，却也知道他的写作风格。

4 恰好

● 我常见钟书写客套信从不起草，提笔就写，八行笺上，几次抬头，写来恰好八行，一行不多，一行不少。

　　副词，正好、刚好。例如：

（1）我从地铁站出来，恰好公共汽车来了，非常顺利。

（2）老王刚领了一笔稿费，恰好够他还这个月的贷款。

（3）他吃不惯中国菜，恰好住的宿舍可以做饭，解决了大问题。

5 聊以……

● 他曾央求当时在中学读书的女儿为他临摹过几幅有名的西洋淘气画，聊以过瘾。

　　表示"姑且、暂且、暂时先……"。例如：

（1）这些年他处处碰壁，时常借酒浇愁，聊以解忧。

（2）今年以来他明显感觉体力衰退，聊以自慰的是头脑还很灵活。

（3）他没完成设计，就说助手没有配合他，聊以塞责。

6 且……且……

● 他不仅且看且笑，还一再搬演，笑得打跌。

　　这个格式用于连接两个并列动词，一般为表动作的单音节动词，强调两个动作行为同时发生，相当于"一边……一边……"。例如：

（1）两个人在湖边且谈且走，不知不觉过了两个小时。

（2）演员们且歌且舞，表演了精彩的节目。

（3）课上他且听且记，全神贯注。

7 恨不得

● 钟书恨不得把扫帚、畚箕都塞入女儿被窝儿，博取一遭意外的胜利。

　　表示急切地盼望做成某件事情。例如：

（1）快到春节了，他恨不得飞回故乡去过年。

（2）那家服装店新上了漂亮的春装，我真恨不得一口气全部买下来。

（3）兄弟俩三年多没见面了，一见面恨不得说上三天三夜。

　　注意："恨不得"只能用于实际上做不到的事情。

8 说不定

● 假如我们再生一个孩子，说不定比阿圆好，我们就要喜欢那个孩子了，那我们怎么对得起阿圆呢。

　　副词，表示估计或推测，相当于"可能、恐怕"。例如：

（1）你们等一等再买家具吧，说不定明年还会出新产品。

（2）说不定他把见面的时间搞错了，给他打个电话吧。

（3）看这天气，晚上说不定会有大暴雨，我们得加把劲，把活都干完了。

"说不定"还有动词的用法，意思是不能准确地说出。例如：

（4）A：什么时候考试？

　　B：现在还说不定，得等办公室的通知。

语言点练习 ••

一　请用所给的词语完成句子或对话：

1. A：小王，你好！急急忙忙地去哪儿？

　　B：小李，是你呀，＿＿＿＿＿＿＿＿＿＿＿＿＿＿＿＿＿＿，没看见你。（只顾）

2. ＿＿＿＿＿＿＿＿＿＿＿＿＿＿＿＿＿＿＿＿＿，小偷乘机偷了他的钱包。（只顾）

3. 百货公司打折对我没有吸引力，＿＿＿＿＿＿＿＿＿＿＿＿＿＿＿＿＿。
　　（所谓……不过是……）

4. A：老杨，WHO是什么意思？

　　B：这个词很好理解，＿＿＿＿＿＿＿＿＿＿＿＿＿＿＿。（所谓……
　　　不过是……）

5. 看得出老师对我的论文非常满意，虽然没有说太多称赞的话，＿＿＿＿＿＿
　　＿＿＿＿＿＿＿＿＿＿＿＿＿。（却也……）

6. 手术很成功，＿＿＿＿＿＿＿＿＿＿＿＿＿＿＿＿，却也没有生命危险
　　了。（虽然不/没有……）

7. 我去医院看病，带的钱不够，＿＿＿＿＿＿＿＿＿＿＿＿＿＿＿＿，问他
　　借了一些。（恰好）

8. A：你怎么刚到？我算着你半小时前就该到了。

　　B：刚出门，＿＿＿＿＿＿＿＿＿＿＿＿＿＿＿＿，就耽误了一会儿。（恰好）

9. A：昨天的球赛怎么样？你喜欢的猛虎队赢了吗？

　　B：别提了，踢得太差了，＿＿＿＿＿＿＿＿＿＿＿＿＿＿＿＿。（恨不得）

10. 我最爱旅行了，这个项目完了我有一个月的假期，＿＿＿＿＿＿＿＿＿＿
　　＿＿＿＿＿＿＿＿。（恨不得）

11. A：老刘借了我 50 块钱，都两个星期了，一直没还。

    B：＿＿＿＿＿＿＿＿＿＿＿＿＿＿＿＿＿＿＿，我看你就算了吧。（说不定）

12. A：我的护照呢？我记得放在抽屉里了，怎么不见了？

    B：＿＿＿＿＿＿＿＿＿＿＿＿＿＿＿＿＿＿＿，你再找找看。（说不定）

二 请用本课学习的语言点回答问题：

1. 听说你的同屋住医院了，怎么了？（只顾）

2. 淮阳菜中有一道"狮子头"，是什么菜？（所谓……不过是……）

3. 听说你下岗后开了个小吃店，生意怎么样？（虽然不/没有……却也……）

4. 你和同屋相处得还好吧？（恰好）

5. 我们 1 月初考完试，你打算什么时候回家？（恨不得）

6. 销售部需要一名经理，你觉得谁能胜任？（说不定）

综合练习

一 请熟读下面的句子，注意体会加点词的用法：

1. 我们无锡人所谓"痴"包括很多意义：疯、傻、憨、稚气、骏气、淘气等等。

2. 他只当了两个星期的班长就给老师罢了官，他也如释重负。

3. 我听他讲得津津有味，以为是什么有趣的游戏；原来只是一人盘腿坐在帐子里，放下帐门，披着一条被单，就是"石屋里的和尚"。

4. 钟书就经常有父亲管教，常为父亲代笔写信，由口授而代写，由代写信而代作文章。钟书考入清华之前，已不复挨打而是父亲得意的儿子了。

5. 钟书的"痴气"也怪别致的。

6. 钱家人常说钟书"痴人有痴福"。他作为书痴，倒真是有点痴福。

7. 可是他毕竟不是个不知世事的痴人，也毕竟不是对社会现象漠不关心，所以小说里各个细节虽然令人捧腹大笑，全书的气氛，正如小说结尾所说："包含对人生的讽刺和伤感，深于一切语言、一切啼笑"，令人回肠荡气。

二 选词填空：

> 玩 分 套 放 披 乘 命 挨 攒 署 当 塞 喊

1. 今年特别流行这种宽大艳丽的羊毛披肩，于小姐对记者说，不_____上一条，简直出不了门！

2. 现在是下班高峰，你别打车了，还是_____地铁吧。

3. 听见后面有人_____我，不用回头，准知道是老李，除了他，别人没这么大嗓门儿！

4. 儿子性格内向，老师让他_____班长，得组织大家搞活动、开班会，他心理压力很大。

5. 我刚要出门，想起来这几日正在降温，于是又_____了件绒衣。

6. 老人们午觉后常常来老年中心打麻将、_____桥牌什么的。

7. 伯父酷爱字画，每次逛琉璃厂，他不_____贵贱，总是买回几幅。

8. 姑姑五十大寿，老妈_____我准备一份寿礼，这不，我还得进趟城。

9. 趁现在年轻，他俩努力_____钱，等退休了回老家开一家杂货店。

10. 父亲来电话催我回家过年，刚_____下电话，奶奶又打过来了。

11. 弟弟最讨厌收拾行礼，每次他都把好几件衣服胡乱_____进旅行包。

12. 他说话不得体，_____了领导一顿训斥。

三 请分别以钱钟书的父亲、弟弟钱钟韩、姆妈的口气讲讲钱钟书童年的趣事。

副课文

辜鸿铭真可谓中国文化史上的一位奇人，他精通九种语言，学贯中西，本世纪之初，当中国知识分子中的精英们大力宣讲西方文明的时候，他却用西方人的语言倡扬古老的东方精神，他的思想和文笔在极短的时间轰动了整个欧洲，并产生了巨大的影响。他创造性地向西方翻译介绍了"四书"中的三部，即《论语》《中庸》和《大学》。他的英文著作有《中国的牛津运动》《春秋大义》等。他保守的思想、古怪的言行也在国内引起广泛关注和争议。这篇副课文就是关于辜鸿铭的。

狂放辜鸿铭

我们太容易满足于把辜鸿铭仅仅当成一个笑料的制造者了。

他至死留着辫子，他在国外的公共汽车上倒着读英文报纸，他把男人比做茶壶把女人比做茶碗，他喜欢摩挲着女人的缠足小脚来写作……这类逸闻曾随着一些通俗杂志为街头贩夫走卒所熟悉。辜鸿铭，几乎就是一个可笑与迂腐的代名词。

一直以来，辜鸿铭都令我非常困惑。辜并不是如一般的传统学者一样从小就在私塾先生的板子下接受了儒家典籍。他生在南洋，少年时受到的便是西化的教育，等到他从欧洲学成回到中国时，已将西方文化加以消化吸收。他熟悉歌德就像一名德国人，了解爱默生就像一个美国人，他通晓

狂放 kuángfàng（形）任性放荡，不受任何约束

笑料 xiàoliào（名）可以拿来取笑的资料

摩挲 mósuō（动）用手抚摸

缠足 chán zú 旧时的一种陋习，用长布条把女孩子的脚紧紧地缠住，使脚不再长大

逸闻 yìwén（名）世人不大知道的传说，多指不见于正式记载的

通俗 tōngsú（形）浅显易懂，适合一般人的水平和需要的

贩夫走卒 fànfū zǒuzú 泛指贩卖为业或替人当差的下层人

迂腐 yūfǔ（形）（言谈、行事）拘泥于陈旧的准则，不适应新时代

代名词 dàimíngcí（名）替代某种名称、词语或说法的词语

困惑 kùnhuò（形）感到疑难，不知道该怎么办

私塾 sīshú（名）旧时家庭、宗族或教师自己设立的教学处所，一般只有一个教师，采用个别教学法，没有一定的教材和学习年限

典籍 diǎnjí（名）记载古代法制的图书，也泛指古代图书

圣经就像一位最好的基督徒。他精通英语、德语、法语、意大利语、拉丁语、希腊语、马来语，此外还略懂日语和俄语。

可这样一个人，为什么会在成年之后突然对儒家学说迷恋至深呢？是什么触动了他的神经，让他逆那个时代渐起的"西化"潮流而动，从衣着到饮食，从思维到行为都完全中国化了呢？——这种心理转变我们已经无从知晓了，我们只看到了后果：他不惜一切不遗余力地为中华文化辩护。

他生活在一个不幸的时代，实际上，因为眼界开阔，这种不幸他比任何人都体会得更清楚。真实的阴暗，会刺痛明眼人的双目。在那样一个时代里，只要你是一个中国人，你就只能是病弱的，任人宰割的。如果你是清醒的，你要抗争，你就离疯掉不远了。

也许辜为了不疯掉，只好装糊涂，只好以狂放来保护自己。他给祖先叩头，外国人嘲笑说：这样做你的祖先就能吃到供桌上的饭菜了吗？辜鸿铭马上反唇相讥：你们在先人墓地摆上鲜花，他们就能闻到花的香味了吗？英国作家毛姆来中国，想见辜。毛姆的朋友就给辜写了一封信，请他来。可是等了好长时间也不见辜来。

南洋 Nányáng（名）指东南亚，包括中南半岛和散布在太平洋和印度洋之间的群岛

迷恋 míliàn（动）对某一事物过度爱好而难以舍弃
触动 chùdòng（动）因某种刺激而引起（感情的变化、记忆等）

知晓 zhīxiǎo（动）知道；晓得
不惜 bùxī（动）不顾惜；舍得
不遗余力 bùyí yúlì 把所有的力量都使出来，一点也不保留
辩护 biànhù（动）为了保护别人或自己，提出理由、事实来说明某种见解或行为是正确合理的，或是错误的程度不如别人所说的严重
眼界 yǎnjiè（名）视线所及的范围，借指知识或见闻的广度
开阔 kāikuò（形）广大宽阔
宰割 zǎigē（动）比喻侵略、压迫和剥削
抗争 kàngzhēng（动）对抗；斗争

叩头 kòu tóu 旧时的礼节，跪在地上，两手扶地，头近地或着地
供桌 gòngzhuō（名）陈设供奉神佛祖宗用的瓜果酒食等供品的桌子
反唇相讥 fǎn chún xiāng jī 受到指责不服气，反过来责问对方

毛姆没办法，自已找到了辜的小院。一进屋，辜就不客气地说："你的同胞以为，中国人不是苦力就是买办，只要一招手，我们非来不可。"一句话，让走南闯北见多识广的毛姆立时极为尴尬，不知所对。

是他的狂放姿态，是他带泪的出色表演，让我们忽略了他内心的痛苦，忽略了他对东方文化的积极思考，忽略了他对这片土地命运的深切关注，也忽略了他曾做出的坚定而绝望的挣扎。他翻译《论语》介绍给西方，想籍此宣扬儒学的深厚、成熟与文明。他在给北大学生上课时，公开说："我们为什么要学英文诗呢？那是因为要你们学好英文后，把我们中国人做人的道理，温柔敦厚的诗教，去晓谕那些四夷之邦。"在这样的时候，他还嘴硬，叫西方为"四夷之邦"，可他心灵的苦痛是掩饰不住的，他面临的困惑一样冰冷而坚硬，曾经那么优秀的中华文明，在坚船利炮面前自信全无，这一切，是从什么时候开始的？究竟是为什么？

他在暗夜里的这种苦痛追问，实际上是一直延伸到今天的，此时此刻，它依然是我们心中挥之不去的隐痛。

近百年前，辜鸿铭梳着小辫走进

买办 mǎibàn（名）旧时指负责为主人采购货物等的人

走南闯北 zǒu nán chuǎng běi 四处奔走闯荡，到过很多地方

见多识广 jiàn duō shí guǎng 形容见识广博

尴尬 gāngà（形）（神色、态度）不自然

宣扬 xuānyáng（动）广泛传扬

温柔敦厚 wēnróu dūnhòu 指待人温和宽厚

晓谕 xiǎoyù（动）上级明白地告知下级

四夷之邦 sì yí zhī bāng 中国古代指文明程度不如中原华夏民族的周围民族或国家

嘴硬 zuǐyìng（形）口头上不肯认错或服输

掩饰 yǎnshì（动）设法隐藏（真实的情况）

追问 zhuīwèn（动）追根究底地问 question closely; make a detailed inquiry

延伸 yánshēn（动）延长；扩展

隐痛 yǐntòng（名）藏在内心深处，不愿对人诉说的痛苦

北京大学课堂，学生们一片哄堂大笑，辜平静地说"我头上的辫子是有形的，你们心中的辫子却是无形的。"闻听此言，狂傲的北大学生一片静默。

辜鸿铭一生主张皇权，这是为人所诟病处。可有谁注意过，他并不是遇到牌位就叩头的。即使是这样一个老保守，也是有骨头的。慈禧太后过生日，他当众脱口而出的"贺诗"是"天子万年，百姓花钱。万寿无疆，百姓遭殃。"袁世凯死，全国举哀三天，辜鸿铭却特意请来一个戏班，在家里大开堂会，热闹了三天。

历史可能已经证明他主张皇权是错的。可在当时，他却足以找到支持自己的论据，日本就是现成的例子。保留皇权，并不等于拒绝现代化。消灭皇权，也不等于就自动实现了民主。中国的皇帝被打到了，可是那些参与打倒了皇权的人之后又干了些什么呢？复辟，内战，再复辟，再内战。没有了皇帝，中国就陷入了人人都想用枪杆子争当皇帝的混乱局面。人人争当皇帝，受苦的只有百姓，受破坏的永远都是小民辛辛苦苦创造出来的那么点社会财富。

这就是辜鸿铭的痛苦所在。人人都说皇权坏，可是共和的好处为什么总是只停留在纸面上呢？人人都知道

诟病 gòubìng（动）指责

牌位 páiwèi（名）指神主、灵位或其他题着名字作为祭祀对象的木牌 memorial tablet (used in ancestral worship)

骨头 gǔtou（名）比喻人的高尚品德

脱口而出 tuō kǒu ér chū 不假思索，随口说出

万寿无疆 wàn shòu wú jiāng 永远生存

遭殃 zāo yāng 遭受灾难

举哀 jǔ'āi（动）举行哀悼活动

堂会 tánghuì（名）旧时家里有喜庆事邀请艺人来举行的演出会

足以 zúyǐ（副）完全可以；够得上

论据 lùnjù（名）立论的根据（多指事实）

参与 cānyù（动）参加

复辟 fùbì（动）失位的君主复位。泛指被推翻的统治者恢复原有的地位或被消灭的制度复活 restore a dethroned monarch or the old order

陷入 xiànrù（动）落进某种不利境地

枪杆子 qiānggǎnzi（名）泛指武器或武装力量

共和 gònghé（名）国家元首和国家权力机关定期由选举产生的一种政治制度 republicanism; republic

落后就要挨打，为什么我们走上富强的路就总是这样的步履维艰呢？这是任何一个生活在那样一个时代里的人都会提出的问题，辜鸿铭一生都在寻找答案，用他的执著，用他的狂放。

　　这样一个老人，带着他的辫子，还有他无以言说的苦痛，在二十世纪初叶走了。我们可以哭，可以笑，之后，我们不该忘记的，还有一点理解，以及尊敬。

（作者：王枪手。有改动）

步履维艰 bùlǚ wéi jiān 行走困难

执著 zhízhuó（形）坚持不懈 persistent; persevering

初叶 chūyè（名）指某一历史时期的最初一段

副课文练习

一　请根据副课文回答下列问题：

1. 辜鸿铭有哪些古怪的表现？
2. 辜鸿铭生活在一个什么样的时代？
3. 从小接受西化教育的辜鸿铭，对待中国传统文化是什么样的态度？
4. 辜鸿铭怎么看待皇权？为什么？
5. 慈禧太后过生日，辜鸿铭写了首什么样的"贺诗"？请解释一下这首"贺诗"？
6. 副课文的作者是怎么看待辜鸿铭的？

二　分组讨论：

1. 如何理解辜鸿铭"我头上的辫子是有形的，你们心中的辫子却是无形的"这句话？
2. 当时的人们对于辜鸿铭的批评主要集中在哪些方面？
3. 下面这段文字也是关于辜鸿铭的，请解释加点句子的意思：

拖长辫子的北大教授

　　晚年的辜鸿铭在北京大学任教授，主讲英文诗。他让学生练习翻译《三字经》《千字文》。这位民国时代仍穿长袍、拖长辫的"古怪"老头成为北大一景，也吸引了许多外国著名人士慕名拜访。英国作家毛姆、日本作家芥川龙之介、印度诗人泰戈尔、日本首相、俄国皇储都曾登门。他毫不客气地以其渊深的西洋学术涵养"以子之矛，攻子之盾"，令各位大家钦佩不已。与此同时，胡适、陈独秀等人也把守旧的辜鸿铭立为论战的靶子。1928年4月30日，潦倒的辜鸿铭在北京病故，结束了他奇异的一生。

　　他死后，围绕着他的炫丽的光环与"落伍、倒退"的声名几乎同时消逝了，近年来，辜鸿铭的著作被重新发现，人们将负载着中国精神的洋文重又译回中文。热闹的同时，又似乎过分执著于他留辫子、穿长袍的古怪形象和对小脚、蓄妾的赞美，而忽视了他的精神。另一位作洋文很有名的中国作家林语堂曾评价他说："辜作洋文、讲儒道，耸动一时，辜亦一怪杰矣。其旷达自喜，睥睨中外，诚近于狂。然能言顾其行，潦倒以终世，较之奴颜婢膝以事权贵者，不亦有人畜之别乎？"而一位外国作家也曾说过："辜鸿铭死后，能作中国诗的外国人还没有出现。"看来西方人也是当他为同类的。

词语总表 Index of Words

A		
挨	ái	2
按捺	ànnà	10
黯淡	àndàn	2
熬夜	áo yè	4

B		
罢	ba	1
罢官	bà guān	10
百科全书	bǎikēquánshū	10
百姓	bǎixìng	3
扳	bān	5
版本	bǎnběn	10
伴儿	bànr	6
包裹	bāoguǒ	10
包容	bāoróng	3
宝地	bǎodì	8
宝剑	bǎojiàn	5
保佑	bǎoyòu	8
报	bào	7
抱怨	bàoyuàn	10
爆	bào	9
爆栗子	bào lìzi	10
备	bèi	9
背景	bèijǐng	5
背影	bèiyǐng	7
被单	bèidān	10
被窝儿	bèiwōr	10

奔腾	bēnténg	2
畚箕	běnjī	10
笨拙	bènzhuō	5
鼻烟壶	bíyānhú	8
笔法	bǐfǎ	10
编造	biānzào	10
变故	biàngù	2
变戏法	biànxìfǎ	8
变异	biànyì	8
标本	biāoběn	8
别号	biéhào	10
别致	biézhì	10
冰箱	bīngxiāng	5
并非	bìngfēi	2
博取	bóqǔ	10
补救	bǔjiù	1
不得已	bùdéyǐ	1
不独	bùdú	6
不妨	bùfáng	6
不容置疑	bùróng zhìyí	7
不时	bùshí	6
不知不觉	bù zhī bù jué	3
不知所措	bù zhī suǒ cuò	5
步枪	bùqiāng	5
步入	bùrù	7
步行	bùxíng	8
部落	bùluò	5

C		
菜系	càixì	3
菜肴	càiyáo	3
参差	cēncī	4
残	cán	9
苍老	cānglǎo	2
插科打诨	chākēdǎhùn	10
茶花	cháhuā	9
柴火	cháihuo	8
孱弱	chánruò	7
缠绕	chánrào	4
长卷	chángjuàn	8
尝试	chángshì	3
常人	chángrén	8
厂商	chǎngshāng	5
沉默寡言	chénmò guǎyán	10
成家	chéng jiā	7
成器	chéng qì	1
城隍庙	Chénghuáng Miào	8
乘凉	chéng liáng	10
吃力	chīlì	5
吃食	chīshi	9
痴气	chīqì	10
踟蹰	chíchú	2
冲淡	chōngdàn	3
宠物	chǒngwù	4
筹	chóu	8
出色	chūsè	5
传递	chuándì	4
春光	chūnguāng	9

从容	cóngróng	2
从未	cóng wèi	2
从小	cóngxiǎo	4
凑热闹	còu rènao	6
猝然	cùrán	2
醋	cù	3
翠	cuì	9

D		
大方之家	dàfāng zhījiā	6
大褂儿	dàguàr	6
大户	dàhù	10
大腕	dàwànr	8
代笔	dàibǐ	10
贷款	dàikuǎn	7
单薄	dānbó	2
单身	dānshēn	6
倒霉	dǎo méi	5
滴水穿石	dī shuǐ chuān shí	8
涤	dí	9
底层	dǐcéng	3
底蕴	dǐyùn	3
地雷	dìléi	10
颠倒	diāndǎo	10
点燃	diǎnrán	2
叼	diāo	6
掉转	diàozhuǎn	10
碟	dié	3
叮咛	dīngníng	7
顶	dǐng	6
定型	dìngxíng	5

都会	dūhuì	8
逗弄	dòunong	4
嘟囔	dūnang	7
独具特色	dú jù tèsè	3
断定	duàndìng	9
断断续续	duànduànxùxù	2
炖	dùn	3
朵颐	duǒyí	6

E		
额角	éjiǎo	10
恶作剧	èzuòjù	4
而后	érhòu	2
二老	èrlǎo	7

F		
发奋	fāfèn	10
法子	fǎzi	1
繁衍	fányǎn	3
反倒	fǎndào	9
方	fāng	8
方圆	fāngyuán	8
仿古	fǎnggǔ	8
分辨	fēnbiàn	10
风光	fēngguang	7
风味	fēngwèi	3
风行一时	fēngxíng yìshí	3
封	fēng	8
缝隙	fèngxì	8
讽刺	fěngcì	10
抚慰	fǔwèi	4
附	fù	5

| 覆盖 | fùgài | 2 |

G		
概括	gàikuò	3
泔水	gānshuǐ	3
感受	gǎnshòu	2
橄榄	gǎnlǎn	6
刚好	gānghǎo	9
钢筋	gāngjīn	8
高粱	gāoliang	9
高堂	gāotáng	7
糕点	gāodiǎn	3
个性	gèxìng	4
各色	gèsè	3
各自	gèzì	2
功课	gōngkè	1
沟通	gōutōng	4
构建	gòujiàn	8
构筑	gòuzhù	3
孤独	gūdú	2
辜负	gūfù	1
箍	gū	8
骨碌	gūlu	7
固执	gùzhi	5
关切	guānqiè	4
管教	guǎnjiào	10
管束	guǎnshù	10
罐子	guànzi	6
光景	guāngjǐng	9
光芒	guāngmáng	2
光阴	guāngyīn	1

光宗耀祖	guāng zōng yào zǔ	7		毁	huǐ	1
贵族	guìzú	3		混沌	hùndùn	10
国难	guónàn	9		活力	huólì	3
过渡	guòdù	8		火暴	huǒbào	3
过问	guòwèn	7		火烧	huǒshao	3
过瘾	guòyǐn	10		**J**		
H				肌肉	jīròu	5
海棠	hǎitáng	9		基因	jīyīn	8
憨	hān	10		即便	jíbiàn	6
憨厚	hānhòu	10		极致	jízhì	8
含糊	hánhu	6		急需	jíxū	1
旱烟	hànyān	6		计较	jìjiào	10
好在	hǎozài	8		妓女	jìnǚ	9
浩浩荡荡	hàohàodàngdàng	8		忌讳	jìhuì	3
呵	hē	10		忌日	jìrì	2
合计	héji	7		寄放	jìfàng	10
何尝	hécháng	4		佳肴	jiāyáo	3
和暖	hénuǎn	9		家长	jiāzhǎng	5
和尚	héshang	10		家书	jiāshū	10
荷花	héhuā	9		家喻户晓	jiā yù hù xiǎo	3
荷叶	héyè	9		甲天下	jiǎ tiānxià	9
恨不得	hènbude	10		坚韧	jiānrèn	8
红叶	hóngyè	9		肩负	jiānfù	2
后进	hòujìn	1		兼容	jiānróng	3
候补	hòubǔ	9		笺	jiān	10
呼天抢地	hū tiān qiāng dì	8		剪刀	jiǎndāo	5
黄道吉日	huángdào jírì	9		渐次	jiàncì	10
恍然大悟	huǎngrán dàwù	7		交汇	jiāohuì	3
灰烬	huījìn	8		脚夫	jiǎofū	3
回肠荡气	huí cháng dàng qì	10		教会	jiàohuì	10

节衣缩食	jié yī suō shí	1		口吃	kǒuchī	5
结肠	jiécháng	7		口授	kǒushòu	10
戒指	jièzhi	5		口水	kǒushuǐ	9
津津有味	jīnjīn yǒuwèi	3		口香糖	kǒuxiāngtáng	6
谨慎	jǐnshèn	10		口音	kǒuyīn	3
近况	jìnkuàng	4		哭泣	kūqì	2
经意	jīngyì	8		窟窿	kūlong	6
惊叫	jīngjiào	10		苦力	kǔlì	3
精美	jīngměi	9		夸赞	kuāzàn	10
精壮	jīngzhuàng	10		夸张	kuāzhāng	10
窘况	jiǒngkuàng	10		快活	kuàihuo	10
酒足饭饱	jiǔ zú fàn bǎo	3		狂	kuáng	7
旧历	jiùlì	9		阔	kuò	9
菊花	júhuā	9		**L**		
咀嚼	jǔjué	6		拉链	lāliàn	5
卷烟	juǎnyān	6		腊梅	làméi	9
角色	juésè	8		来临	láilín	5
绝望	juéwàng	2		懒得	lǎnde	2
嚼	jiáo	6		老练	lǎoliàn	5
K				老太婆	lǎotàipó	7
开心	kāixīn	2		老子	lǎozi	7
刊物	kānwù	10		乐不思蜀	lè bù sī Shǔ	3
坎肩儿	kǎnjiānr	6		乐此不疲	lè cǐ bù pí	3
抗战	kàngzhàn	9		乐园	lèyuán	8
可观	kěguān	5		垒球	lěiqiú	5
渴望	kěwàng	2		冷漠	lěngmò	4
刻	kè	2		例外	lìwài	6
客套	kètào	10		栗子	lìzi	9
恐惧	kǒngjù	2		怜爱	lián'ài	2
恐怕	kǒngpà	1		联想	liánxiǎng	10

镰刀	liándāo	5		**N**		
缭绕	liáorào	6	内心	nèixīn	2
临摹	línmó	10	内衣	nèiyī	10
领带	lǐngdài	8	内在	nèizài	4
流连忘返	liúlián wàng fǎn	3	尼古丁	nígǔdīng	6
屡次	lǚcì	8	腻味	nìwei	6
轮廓	lúnkuò	6	拈	niān	6
裸体	luǒtǐ	9	年富力强	nián fù lì qiáng	1
	M		年间	niánjiān	8
麻雀	máquè	6	袅袅	niǎoniǎo	6
满不在乎	mǎn bú zàihu	6	捏	niē	8
满怀	mǎnhuái	4	宁静	níngjìng	4
漫漫	mànmàn	4	凝神	níngshén	4
美食	měishí	3	凝视	níngshì	4
美味	měiwèi	3	纽扣	niǔkòu	5
门柄	ménbǐng	5	农产品	nóngchǎnpǐn	7
猛然	měngrán	2	浓重	nóngzhòng	3
梦想	mèngxiǎng	9	挪	nuó	7
迷糊	míhu	7		**O**		
面人儿	miànrénr	8	偶然	ǒurán	2
面子	miànzi	3		**P**		
名声扫地	míngshēng sǎodì	5	排场	páichǎng	3
明细账	míngxìzhàng	7	排挡	páidǎng	5
莫非	mòfēi	7	派头	pàitóu	6
漠不关心	mò bù guānxīn	10	盘桓	pánhuán	6
眸子	móuzi	4	盘腿	pán tuǐ	10
母爱	mǔ'ài	7	螃蟹	pángxiè	9
母校	mǔxiào	1	彷徨	pánghuáng	2
目之所及	mù zhī suǒ jí	9	抛弃	pāoqì	1
墓志铭	mùzhìmíng	10	陪伴	péibàn	4

捧腹大笑	pěng fù dàxiào	10
辟	pì	9
譬如	pìrú	5
偏爱	piān'ài	3
贫血	pínxuè	9
品尝	pǐncháng	3
泼辣	pōlà	3
颇	pō	5
迫使	pòshǐ	5
破旧	pòjiù	2
普天之下	pǔtiān zhīxià	8
Q		
企盼	qǐpàn	2
岂不	qǐbù	6
起草	qǐ cǎo	10
起码	qǐmǎ	5
器械	qìxiè	5
恰好	qiàhǎo	10
迁怒	qiānnù	6
牵挂	qiānguà	2
歉疚	qiànjiù	4
襁褓	qiǎngbǎo	8
亲密	qīnmì	6
亲情	qīnqíng	2
倾向	qīngxiàng	5
清淡	qīngdàn	3
清静	qīngjìng	9
清朗	qīnglǎng	4
清香	qīngxiāng	9
情节	qíngjié	10

情愿	qíngyuàn	5
曲线	qūxiàn	9
去世	qùshì	2
全力以赴	quán lì yǐ fù	4
权	quán	7
缺憾	quēhàn	3
R		
人间	rénjiān	2
人文	rénwén	3
任教	rèn jiào	10
熔化	rónghuà	3
熔炉	rónglú	3
融合	rónghé	3
融会	rónghuì	3
如释重负	rú shì zhòngfù	10
乳名	rǔmíng	7
入睡	rùshuì	4
润	rùn	9
若干	ruògān	9
S		
萨克斯管	sàkèsīguǎn	5
腮帮子	sāibāngzi	6
三昧	sānmèi	6
扫帚	sàozhou	10
霎时间	shàshíjiān	6
山坡	shānpō	4
闪烁	shǎnshuò	2
善解人意	shàn jiě rén yì	4
伤感	shānggǎn	10
赏识	shǎngshí	6

上瘾	shàng yǐn	3		耍弄	shuǎnòng	4
尚无定论	shàng wú dìng lùn	5		衰退	shuāituì	1
身影	shēnyǐng	2		拴	shuān	9
身子	shēnzi	6		双眸	shuāngmóu	4
绅士	shēnshì	6		水兵	shuǐbīng	9
深奥	shēn'ào	10		水土	shuǐtǔ	8
深思	shēnsī	10		水仙	shuǐxiān	9
深重	shēnzhòng	2		水烟	shuǐyān	6
神气	shénqì	6		顺当	shùndang	5
生猛	shēngměng	3		说不定	shuōbudìng	10
生息	shēngxī	3		说闲话	shuō xiánhuà	6
胜迹	shèngjì	9		斯文	sīwén	6
省事	shěng shì	6		四季	sìjì	9
湿漉漉	shīlùlù	7		寺	sì	9
十里洋场	shí lǐ yángchǎng	8		搜查	sōuchá	10
时空	shíkōng	8		算命	suàn mìng	5
世事	shìshì	10		算术	suànshù	10
市井	shìjǐng	8		随处	suíchù	8
视察	shìchá	8		岁月	suìyuè	2
柿(子)	shì(zi)	9		**T**		
嗜好	shìhào	3		趿拉	tāla	7
收藏	shōucáng	10		台阶	táijiē	6
收养	shōuyǎng	4		泰然处之	tàirán chǔ zhī	2
手头	shǒutóu	7		贪	tān	4
瘦弱	shòuruò	10		淘气	táoqì	10
书写	shūxiě	4		淘汰	táotài	1
书信	shūxìn	8		特产	tèchǎn	9
暑天	shǔtiān	9		特意	tèyì	7
署	shǔ	10		体味	tǐwèi	10
束手无策	shù shǒu wú cè	2		天生	tiānshēng	5

天堂	tiāntáng	2		无家可归	wú jiā kě guī	8
通风报信	tōng fēng bào xìn	10		无聊	wúliáo	6
通晓	tōngxiǎo	4		无伤大雅	wúshāngdàyǎ	6
同胞	tóngbāo	4		无意	wúyì	8
童年	tóngnián	8		五湖四海	wǔ hú sì hǎi	3
痛打	tòngdǎ	10		物件	wùjiàn	8
凸	tū	6		**X**		
退缩	tuìsuō	4		西洋景	xīyángjǐng	8
吞噬	tūnshì	2		稀罕	xīhan	6
W				熙熙攘攘	xīxīrǎngrǎng	8
瓦匠	wǎjiang	6		席	xí	7
外带	wàidài	3		媳妇	xífù	7
外行	wàiháng	6		喜	xǐ	3
玩耍	wánshuǎ	4		戏曲	xìqǔ	10
往后	wǎnghòu	2		细节	xìjié	10
忘本	wàng běn	7		匣子	xiázi	6
旺盛	wàngshèng	10		遐想	xiáxiǎng	6
威风凛凛	wēifēng lǐnlǐn	8		下葬	xià zàng	2
微不足道	wēi bù zú dào	5		仙人	xiānrén	9
微弱	wēiruò	4		咸菜	xiáncài	3
唯	wéi	10		衔	xián	6
唯独	wéidú	8		相处	xiāngchǔ	4
唯一	wéiyī	9		相	xiàng	6
喂养	wèiyǎng	4		相命	xiàng mìng	8
温文尔雅	wēn wén ěr yǎ	3		小报	xiǎobào	1
文凭	wénpíng	1		小心翼翼	xiǎoxīn yìyì	7
窝	wō	4		孝敬	xiàojìng	7
窝头	wōtóu	3		邪恶	xié'è	5
无偿	wúcháng	7		心灵	xīnlíng	2
无从	wúcóng	9		心思	xīnsi	2

心虚	xīnxū	4
心愿	xīnyuàn	1
信念	xìnniàn	2
兴高采烈	xìng gāo cǎi liè	4
兴致	xìngzhì	10
行装	xíngzhuāng	10
行走	xíngzǒu	2
醒悟	xǐngwù	2
宿	xiǔ	7
序文	xùwén	10
学问	xuéwen	1
学者	xuézhě	1
巡游	xúnyóu	8
讯息	xùnxī	4

Y		
烟卷儿	yānjuǎnr	6
烟嘴	yānzuǐr	6
严厉	yánlì	7
掩	yǎn	2
眼神	yǎnshén	4
眼睁睁	yǎnzhēngzhēng	1
砚台	yàntai	10
央求	yāngqiú	10
洋车	yángchē	3
洋火	yánghuǒ	6
药性	yàoxìng	10
野性	yěxìng	3
一辈子	yíbèizi	7
一本正经	yì běn zhèngjīng	10
一度	yídù	5

一忽儿	yìhūr	6
一律	yílǜ	9
一脉相承	yí mài xiāng chéng	10
一去不复返	yí qù bú fù fǎn	1
一生	yìshēng	1
一向	yíxiàng	7
一一	yīyī	7
依	yī	1
依旧	yījiù	2
依然	yīrán	3
仪器	yíqì	1
移民	yímín	3
遗传	yíchuán	5
遗憾	yíhàn	2
阴间	yīnjiān	2
银两	yínliǎng	8
饮食	yǐnshí	3
莺	yīng	9
婴孩儿	yīngháir	5
庸俗	yōngsú	10
幽静	yōujìng	9
悠然	yōurán	6
尤	yóu	3
游客	yóukè	8
游人	yóurén	9
游戏	yóuxì	10
友人	yǒurén	9
幼年	yòunián	4
鱼贯而入	yú guàn ér rù	8
鱼龙混杂	yú lóng hùnzá	8

渔竿	yúgān	5
欲念	yùniàn	5
原本	yuánběn	8
源头	yuántóu	8
源源	yuányuán	10
远古	yuǎngǔ	3
孕育	yùnyù	8
运用自如	yùnyòng zìrú	5

Z		
再会	zàihuì	1
再三	zàisān	7
攒	zǎn	10
赞许	zànxǔ	10
枣	zǎo	9
灶	zào	8
责任	zérèn	1
责问	zéwèn	2
增补	zēngbǔ	10
赠言	zèngyán	1
占卜	zhānbǔ	5
展示	zhǎnshì	3
辗转	zhǎnzhuǎn	10
张狂	zhāngkuáng	7
帐子	zhàngzi	10
召集	zhàojí	2
照耀	zhàoyào	2
遮掩	zhēyǎn	6
珍藏	zhēncáng	10
振聋发聩	zhèn lóng fā kuì	7
震颤	zhènchàn	7

征服	zhēngfú	5
整整	zhěngzhěng	2
正经	zhèngjing	10
知县	zhīxiàn	8
肢体	zhītǐ	4
执拗	zhíniù	8
只顾	zhǐgù	10
至于	zhìyú	1
志气	zhìqì	10
窒息	zhìxī	2
智谋	zhìmóu	8
置备	zhìbèi	1
稚钝	zhìdùn	10
稚气	zhìqì	10
忠告	zhōnggào	7
忠厚	zhōnghòu	10
诸多	zhūduō	5
诸如此类	zhūrú cǐlèi	5
诸位	zhūwèi	1
主角	zhǔjué	8
住宅	zhùzhái	9
铸	zhù	1
铸造	zhùzào	1
专一	zhuānyī	10
追踪	zhuīzōng	4
捉摸	zhuōmō	6
孜孜	zīzī	10
姿态	zītài	8
自言自语	zì yán zì yǔ	10
自由自在	zìyóu zìzài	6